"十二五"国家重点图书出版规划项目

CHINA WETLANDS RESOURCES
Hainan Volume

中国湿地资源

海南卷

◎ 国家林业局组织编写

中国林业出版社

图书在版编目（CIP）数据

中国湿地资源·海南卷／国家林业局组织编写；江海声分册主编．－北京：中国林业出版社，2015.12

“十二五”国家重点图书出版规划项目

ISBN 978-7-5038-8300-2

Ⅰ.①中… Ⅱ.①国… ②江… Ⅲ.①湿地资源－研究－海南省 Ⅳ.① P942.078

中国版本图书馆 CIP 数据核字（2015）第 296595 号

总 策 划：金 旻

策划编辑：徐小英

主要编辑：徐小英 刘香瑞 李 伟

何 鹏 于界芬

美术编辑：赵 芳

出版发行 中国林业出版社（100009 北京西城区刘海胡同 7 号）

http://lycb.forestry.gov.cn

E-mail:forestbook@163.com 电话：(010)83143515、83143543

设计制作 北京天放自动化技术开发公司

北京捷艺轩彩印制版有限公司

印刷装订 北京中科印刷有限公司

版　　次 2015 年 12 月第 1 版

印　　次 2015 年 12 月第 1 次

开　　本 787mm × 1092mm 1/16

字　　数 294 千字

印　　张 11.5

定　　价 85.00 元

中国湿地资源系列图书
编撰工作领导小组

顾　问： 陈宜瑜　李文华　刘兴土

组　长： 张永利

副组长： 马广仁

成　员：（按姓氏笔画排序）

王文宇　王忠武　王海洋　韦纯良　邓乃平　邓三龙
兰宏良　刘建武　刘艳玲　刘新池　李　兴　李三原
李永林　来景刚　吴　亚　张宗启　陆月星　陈则生
陈传进　陈俊光　林云举　呼　群　金　旻　金小麒
周光辉　降　初　孟　沙　侯新华　夏春胜　党晓勇
徐济德　奚克路　阎钢军　程中才　雷桂龙　蔡炳华
樊　辉

中国湿地资源系列图书
编撰工作领导小组办公室

主　任： 马广仁

副主任： 鲍达明　唐小平　熊智平　马洪兵

成　员： 王福田　姬文元　刘　平　闫宏伟　李　忠　田亚玲
王志臣　张阳武　但新球　刘世好　王　侠　徐小英

《中国湿地资源·海南卷》
编辑委员会

《中国湿地资源·海南卷》
编写组

主　　编：江海声

副 主 编：莫燕妮　马广智

编 著 者：孔繁茂　苏文拔　苏文学　李仕宁　何杰坤　余杰华
陈　义　林思亮　练健生　胡　能　徐　扬

主　　审：莫燕妮　马广智

地图绘制：陈　义　何杰坤

插图编绘：何杰坤　徐　扬

照片摄影：王春新　陈　兴　陈伟岸　刘鲜荣　李　君　黄诗明

总 序

湿地是地球表层系统的重要组成部分，是自然界最具生产力的生态系统和人类文明的发祥地之一。在联合国环境规划署（UNEP）委托世界自然保护联盟（IUCN）编制的《世界自然资源保护大纲》中，湿地与森林和海洋一起并称为全球三大生态系统。湿地具有类型多样、分布广泛的特点；湿地更重要的是还具有多种供给、调节、支持与文化服务功能，是人类重要的生存环境和资源资本。湿地与人类生产生活和社会经济发展息息相关。湿地的重要性受到世界各国和国际社会的普遍关注。早在1971 年，国际社会就建立了全球第一个政府间多边环境公约，即《关于特别是作为水禽栖息地的国际重要湿地公约》（简称《湿地公约》）。同时，该公约也是全球最早针对单一生态系统保护的国际公约。1992 年中国加入《湿地公约》，自此我国湿地保护事业进入了新的发展时期。

我国加入《湿地公约》后，在国家林业局设立了专门的湿地保护和履约机构，对内负责组织、协调、指导和监督全国湿地保护工作，对外负责《湿地公约》的履约工作。近年来，中国各级政府在湿地保护方面开展了大量卓有成效的工作，采取了一系列保护和合理利用湿地资源的措施，在湿地保护规划和重点工程建设、财政补贴政策制定实施、法规制度建设、保护体系建设、科研监测、宣传教育和国际合作等方面取得了长足进步。但我国湿地生态系统仍然面临着盲目围垦与改造、污染、水土流失、泥沙淤积、生物资源过度利用等多种因素的破坏和威胁，导致面积减少，生态功能下降，生物多样性丧失。因此，切实保护和合理利用湿地资源，既是保障生态安全和国土安全的当务之急，更是中国实施可持续发展战略势在必行的要务。

开展湿地资源调查，摸清湿地资源家底，把握湿地资源动态，是所有湿地保护工作的基础，也是履行《湿地公约》各项工作的根基。2009 ~ 2013 年，在中央财政的支持下，国家林业局组织开展了第二次全国湿地资源调查工作。在此期间，我有幸作为第二次全国湿地资源调查专家技术委员会的主任委员，和其他专家一起全程参与了此次湿地资源调查的主要技术环节和成果鉴定。

我认为此次调查具有以下几个特点：一是，此次调查的湿地分类、界定标准、调查方法基本与《湿地公约》规定相接轨，使得调查数据符合《湿地公约》的要求，调查成果易于被国际认可，便于国际间的对比和交流。二是，制定了内容全面、方法科学、符合国际标准的统一技术规程《全国湿地资源调查技术规程（试行）》，进行了同标准、同口径的分期分批调查。三是，本次调查利用“3S”技术与现地验证相结合的技术方法，查清了全国范围内（未包括香港、澳门、台湾）8 公顷以上的湿地资源基本情况。四是，湿地调查分为一般调查和重点调查。重点调查包括，国际重要湿地、国家重要湿地、自然保护区（含自然保护小区）和湿地公园内的湿地以及其他特有、分布濒危物种和红树林等具有特殊保护价值的湿地。五是，组织保障有力。国家层面上，成立了第二次全国湿地资源调查领导小组、专家技术委员会、中央技术支撑单位和国家质量检查组；省级层面上，分别成立了湿地调查专职机构，组建了省级专业调查队伍。

需要指出的是，第二次全国湿地资源调查期间，我国湿地保护事业发展迅速。2009 年，中央启动了“湿地生态效益补偿试点”工作；2010 年开始，中央财政设立了湿地保护补助专项资金；2012 年，党的十八大将建设生态文明纳入中国特色社会主义事业“五位一体”总体布局，提出要“扩大森林、湖泊、湿地面积，保护生物多样性”。期间，国家林业局会同相关部门认真实施了《全国湿地保护工程实施规划 (2005 ～ 2010 年)》和《全国湿地保护工程“十二五”实施规划》。2013 年，国家林业局出台的《推进生态文明建设规划纲要》划定了湿地保护红线，到 2020 年中国湿地面积不少于 8 亿亩。2013 年，国家林业局出台了第一部国家层面的湿地保护部门规章《湿地保护管理规定》。应该说，历时 5 年的湿地资源调查与同期湿地保护事业的发展，是休戚相关，相互促进的。

第二次全国湿地资源调查取得了丰硕成果。在全球范围内，我国率先完成了《湿地公约》倡导的国家湿地资源调查，首次科学、系统地查明了《湿地公约》所定义的我国湿地资源情况。建立了完整的全国湿地资源空间数据库和属性数据库，掌握了近 10 年来湿地资源动态变化情况，建立了稳定的湿地资源调查专业队伍和专家团队，形成了较为完整的湿地资源调查监测技术规范，完成了全国湿地资源总报告、分省报告和多个专题报告，编制了系列成果图。调查成果达到国际先进水平。

党的十八大对建设生态文明作出了全面部署，强调把生态文明建设放在突出地位，融入经济建设、政治建设、文化建设、社会建设各方面和全过程。在全国第二次湿地资源调查成果的基础上，系统编著形成了中国湿地资源系列图书，为新时期我国湿地保护事业奠定了坚实基础。希望本系列图书能够为我国湿地工作者在开展湿地研究、保护与合理利用工作时提供参考和借鉴。

中国科学院院士 [signature]

2015 年 9 月

前 言

海南省地处热带，是我国最典型的海洋省份，其行政区域包括海南岛本岛及其周边离岛和西沙、中沙、南沙组成的三沙市域的南海海区。这里热带海相湿地类型多样、面积大、生物多样性丰富，具有鲜明的特点。红树林、珊瑚礁、潮下水生层、咸水湖等典型热带海相湿地广泛分布。在陆相湿地中，由于地貌的影响，岛内河流坡降大、径流短；琼北地区主要为熔岩台地，广泛发育着玄武岩和安山岩，蕴藏着较丰富的地下水。海南的自然来水主要靠降雨，特别是台风降雨，由于降雨时空分布不均，造成全岛区域性和季节性的缺水，因此，各类湿地在淡水资源的时空调节中发挥着极其重要的作用，对于海南岛水资源的生态安全具有重要意义。

1997 年开展了第一次海南省湿地资源调查，时隔 15 年后的 2012 年开展第二次海南湿地资源调查。

第一次湿地资源调查时，国人对湿地的认识和研究不多，许多新技术和新手段还处于摸索阶段，而第二次湿地资源调查无论是技术还是手段已日臻成熟；两次调查间的 15 年是海南社会经济发展最为迅猛的时期，湿地资源伴随社会经济发展发生了巨大变化；星转物移，15 年间许多人事已变，但是湿地主管部门海南省林业厅和海南省野生动植物保护管理局对我的支持和帮助未改、一如既往；调查队伍人员变了，调查中的严谨、客观、科学依然为首；15 年间一批批专业人员不断成熟、一茬茬调查队员薪火相传，调查不仅掌握了本底，还培养了人才、锻炼了队伍。

在项目设计、野外调查、本书撰写全过程得到了海南省林业厅、华南师范大学、国家林业局中南林业调查规划设计院等单位的鼎力支持；中国科学院动物研究所李欣海博士、中国水产科学研究院南海水产研究所李加儿研究员、张汉华研究员的指导和支持；海南大学杨小波教授、海南师范大学梁伟教授和刘强教授、海南省林业科学研究所杨众养研究员等提出宝贵建议；对于各单位和专家的支持与帮助，在此一并表示诚挚的感谢。

海南省湿地资源调查是一项庞大复杂的工作，非集体的精诚合作、共同努力是难以完成的。在野外调查中，海南省林业科学研究所、尖峰岭林业局和五指山、吊罗山、东寨港、尖峰岭、霸王岭、大田、鹦哥岭、猕猴岭、黎母山、邦溪、上溪、会山、番加、三亚红树林等国家级、省级、市县级自然保护区等单位派员组成省级调查队，海口、三亚、五指山、琼海、儋州、文昌、万宁、东方、定安、屯昌、澄迈、临高、白沙、昌江、乐东、陵水、保亭、琼中等市县林业局（农林局）分别组建市县基层调查队伍。调查队员有万林芬、王吉、王成、王运、王春新等 250 余人（名单详见本书附件）。对于调查队员在调查中表现出的吃苦耐劳、积极奉献、科学严谨的精神致以崇高敬意和诚挚的谢意。特别需要说明的是海南省林业科学研究所的李仕宁、海南番加省级自然保护区的谢林顺、海南吊罗山国家级自然保护区的梁宜文、海南霸王岭国家级自然保护区的陈庆、海南尖峰岭国家级自然保护区的陈焕强等参加了 1997~1998 年海南第一次湿地资源调查和本次即海南第二次湿地资源调查，他们在调查中发挥了重要的传帮带作用。借本书出版之际，我们想说，海南的生态保护有你们的青春、汗水、牺牲和贡献，真诚的感谢你们长期以来的合作与支持。

《中国湿地资源 · 海南卷》编辑委员会

2014 年 12 月

目　录

海南省典型湿地类型一览

浅海水域

潮下水生层

珊瑚礁

岩石海岸

沙石海滩

淤泥质海滩

红树林

河口水域

三角洲 / 沙洲 / 沙岛

海岸性咸水湖

万宁小海咸水湖

三亚铁炉港咸水湖

乐东咸湖

永久性河流

泛洪平原湿地

永久性淡水湖

儋州雅儒村湖泊

乐东下浦村湖泊

陵水山牛港湖泊

草本沼泽

库塘

运河／输水河

水产养殖场

盐田

第一章 基本情况

第一节 自然概况

1 地理位置

海南省位于我国的最南端，其行政区范围包括海南岛及南海诸岛中的南沙、西沙和中沙等群岛。海南岛陆域面积为3.39万平方公里，其周边有大小离岛100余个，多数岛屿的面积不大，较大的岛屿有七洲列岛、大洲岛、东洲、西洲、东瑁洲、东锣岛、西鼓岛等。七洲列岛距海南岛30公里，其他大多数岛屿距海南岛不超过6公里。海南岛东部和南部海域的岛屿分布较密集，西部和北部海域岛屿分布较稀疏。

隶属海南省三沙市的西沙、中沙、南沙等群岛是南海诸岛的主要组成部分，是我国最南端的热带岛屿，由逾250个岛屿、沙洲(岛)、礁岛、礁滩组成。其中西沙群岛由30多个岛屿、沙洲、礁滩组成，岛礁等面积约7.28平方公里；中沙群岛主要由20多个暗滩及暗沙组成；最南端的为南沙群岛，由200多个岛屿、沙洲和暗礁等组成，岛屿和沙洲的面积共1.66平方公里。

2 地质地貌

海南岛地壳经历了晋宁、加里东、海西、印支、燕山和喜马拉雅构造运动。晋宁运动、加里东运动、海西运动和印支运动以褶皱形变为主，伴有断裂形变和动力变质，并有酸性和基性岩浆活动以及大规模的混合岩化；燕山运动除局部地方发生褶皱形变外，主要以断裂形变为特征，中酸性岩浆侵入和喷发活动十分强烈，喜马拉雅运动则以断裂活动大规模基性岩浆喷发为主要特征(图1-1A)。

由于长期、频繁和复杂的构造运动，在本区留下了各种各样的构造形迹，又由于后期的构造运动对前期构造形成的构造形迹进行改造和利用，从而使得本区的某些构造形迹显得特别复杂和突出。总的来看，本区最突出的构造形迹有东西向、北东向、北北东向和北西向，它们组成了海南岛的基本构造格架，控制着本区各时期沉积建造的展布、岩浆活动、变质作用和晚近时期山川地势(汪啸风等，1992)。

海南岛的地质基底以花岗岩为主，局部地区有玄武岩、页岩、砂岩和石灰岩。中生代后期，由于陆台复活，大规模岩浆岩活动构成了花岗岩穹窿地貌形态，中、南部块状山地主要由于火成岩形成，其中以花岗岩为主；海南岛北部和东北部为第三纪末与第四纪火山爆发的熔岩台地，多为玄武岩和安山岩；海南岛四周沙滩平地为新老沉积物，以波浪和沿岸河流所带来的沙土形成滨海沙荒(图 1-1B)。

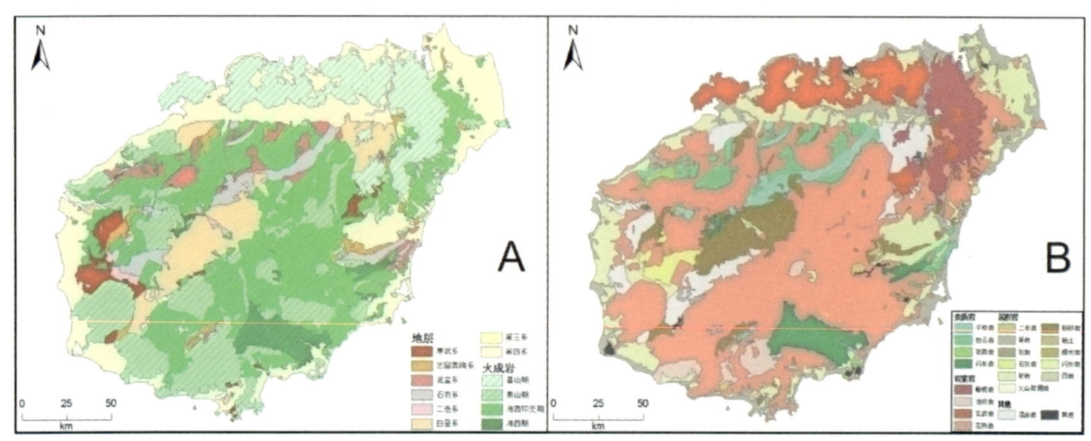

图 **1-1** 海南岛的地质

(A. 地层年代图，B. 岩性分布图)

海南岛不同的岩性分布影响了湿地的形成、发育和分布，如岛中、南部花岗岩，由于岩石坚硬致密，抗蚀力强，常形成陡峭的山地，另一方面因风化壳松散偏砂，其下原岩不透水，易产生地表散流与暴流，且因节理丰富，产生球状风化，地表水与地下水沿节里活动，逐步形成密集的沟谷与河谷。在局部区域由于形成机制，形成地热湿地。

海南岛北部和东北部的玄武岩是由火山喷发出的岩浆冷却后凝固形成的一种致密状或气孔状结构的岩石，琼北台地玄武岩和雷州半岛形成一个构造盆地，储藏着丰富的地下水。海南岛所分布的石灰岩，其硬度不大，易溶于水，并形成地下河湿地。

南海诸岛的岛屿，除了极个别火山岛之外，绝大部分是由海洋软体动物珊瑚的骨骼堆积而成的珊瑚岛。关于珊瑚礁沉积物出露海面，形成岛屿的时期及其划分不尽相同，但大致可归纳为晚更新世晚期和全新世中期两个时期。资料表明，其中最早的大约形成于 7000 年前，而最年轻的估计形成于 2000 ~ 2500 年前，其余诸岛则形成于 4000 ~ 5000 年前。总体来说，南海诸岛的地质年龄相当年轻(唐杉，2009)。

第三纪喜马拉雅运动以后，产生了大面积的升降运动，被称为“造貌运动”，即地貌的形成时期。如今海南岛的地形，就是在这个基础上开始形成的。目前海南岛中部山地，地势最高，形成年代最古老，即在第三纪末期已经形成了，由于地壳不断的上升，沿海有不少浅水地方也抬高出水成陆，不断形成沿岸阶地或台地，岛屿面积增加，形成了中间高向四周变低的穹窿构造地形(曾昭璇等，1989)。

全岛以岛中部的五指山为中心，从中部向四周依次为山地、丘陵、台地和平原等顺序逐级递降，构成层状垂直分布和环状水平分布带(图 1-2A、B)。中南部的五指山为最高峰，其海拔 1867

米；其次为鹦哥岭，海拔 1811.6 米。海南岛山地占全岛面积的 25.4%；丘陵占 13.3%；台地占 32.6%；海域和河流占 16.9%；冲积和海积平原占 11.2%；其他占 0.6%。

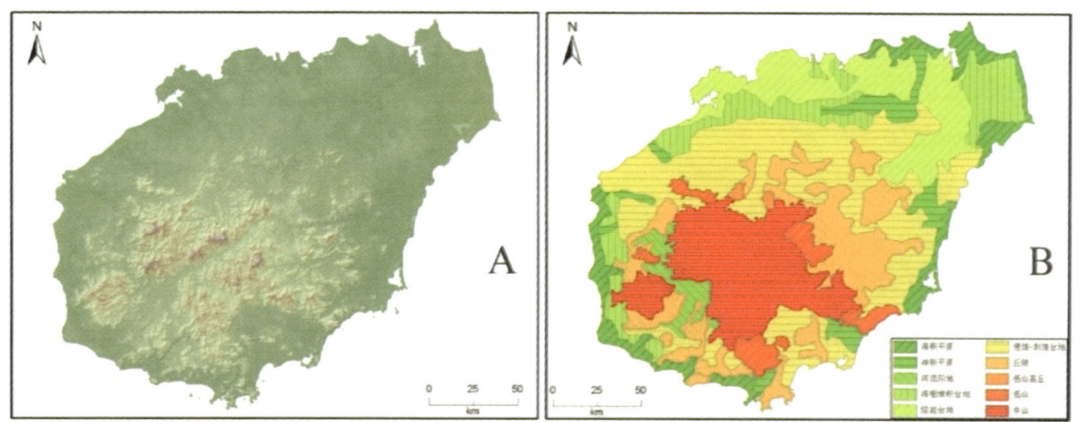

图 **1-2**　海南岛的地形地貌(A. 地形图，B. 地貌图)

海南岛的降雨主要以台风降雨为主，且台风登岛的路线多自东向西，从而导致迎风坡降雨丰富，背风坡降雨稀少，即岛东部台地降雨充足，岛西部降雨稀缺，影响岛内湿地的分布。由于地貌的高低起伏，影响河流湿地径流量和宽度，如海南岛西南山地呈网状分布着线状河流，这些河流都比较窄短，沿着地貌走势最终在平原台地处汇集成较大的河流。人们在修建人工湿地库塘的时候，既要考虑功能作用，同时也要考虑经济效益和方便，所以地质和地貌在一定程度上影响着人们对库区的选址。另一方面，河流湿地的泛流和侵蚀作用同时也在不断地影响海南岛的地质地貌。

南海诸岛珊瑚礁绝大部分分布在大陆坡上部，少数分布在大陆架上，个别分布在深海盆中。在大陆坡和深海盆中兀立的珊瑚礁，高达 2000 米左右，礁外坡很陡，有几级平台，礁顶略呈圆形，隐现水面的礁坪粗看较平。环礁泻湖少数被礁坪完全封闭，多数具有潮汐通道通外海。礁缘波浪破碎带的产物被抛上外礁坪，堆积成礁缘脊砾石堤，在内礁坪上堆积潮间带浅滩，并逐步发展为潮上带未长草木的裸沙洲和有植被的灰沙岛。灰沙岛海拔一般 3 ~6 米，最高约 15 米，岛上的砂砾层部分或全部胶结成岩(赵焕庭等，1997)。

3　气　候

海南岛位于印尼—马来热带区的北缘，地处热带、亚热带，属季风热带气候区域。气候高温多雨、长夏无冬。年平均温度 15.5 ~25.5℃(图 1-3A)，≥10℃年积温为 8200 ~9200℃。

海南岛雨量充沛，干湿季明显，多年平均降水量为 1755 毫米，地区分布不均匀，东南迎风面多在 1800 毫米以上，西南沿海最少，在 1000 毫米左右(图 1-3B)；旱季雨量占全年降水量 10% ~20% 左右；热量丰富，太阳辐射年总量为 110 ~140 千卡/平方米；日照长，年平均日照时间大多数在 2000 小时以上，其中西部沿海最多达 2650 小时左右，中部山区最少约 1750 小时；由于温度高，日照长，多年平均潜在蒸发量 1200 ~1400 毫米，其中西南部沿海最大，达到 1400 毫米，大于多年平均降水量的 50%(图 1-3C)。由于降雨不均以及蒸发量的东西差异，在一定程度上影响

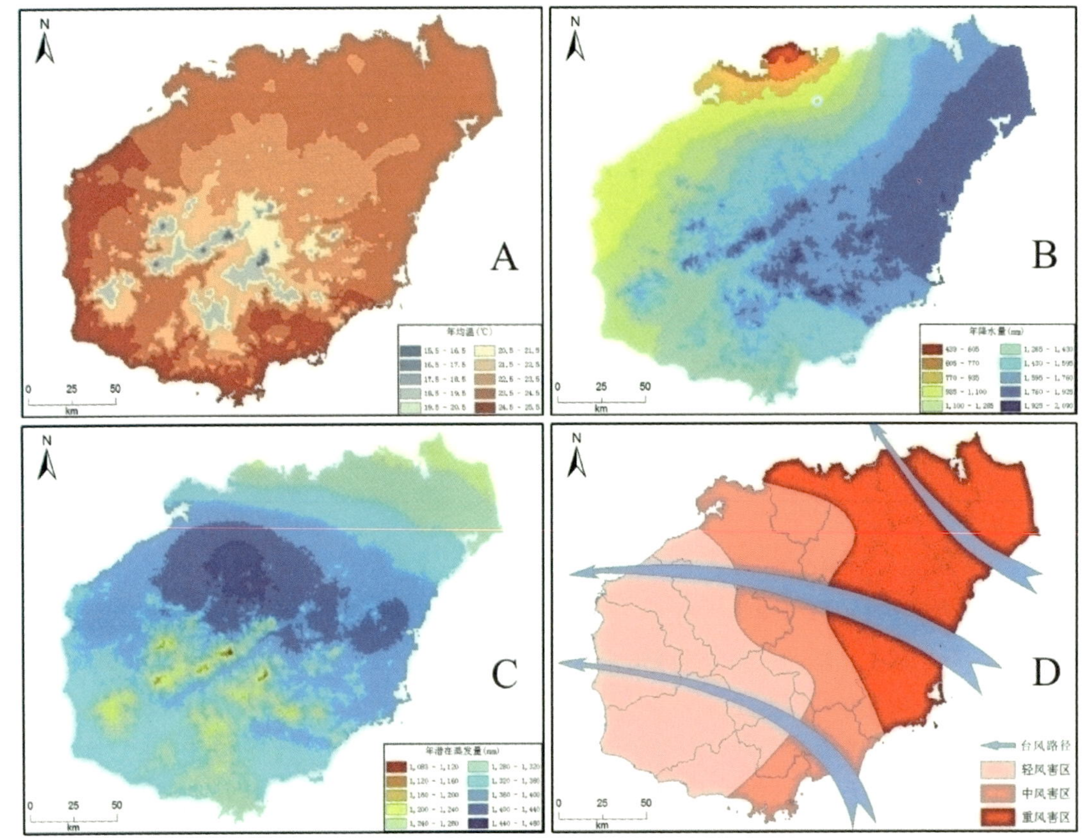

图 **1-3**　海南岛的气候

（A. 年平均气温；B. 年降水量；C. 年潜在蒸发量；D. 台风路径及影响）

了海南岛湿地空间上的分布，甚至导致海南岛东西部河流湿地径流量的差异。

台风登陆海南岛多年平均为2.6个，其中75%左右在文昌—琼海—万宁一带登陆(图1-3D)；由于西南山地东面为迎风坡，西南面为背风坡，降雨主要集中的东南面，加之西南面蒸发量大，进一步影响到岛内水资源的分布。

南海诸岛年平均气温为25.6℃，年降水量为1481.3毫米，常风向为东北向；强风向为西南向。雨季在4～10月，在此期间的降水量为全年的87%。旱季盛行东北风，雨季主要盛行南风。热带气旋影响主要集中在7～11月。

4　水　文

海南岛地势中高周低，河流多而短小，呈放射状水系。独立入海的河流共154条，以南渡江、万泉河和昌化江最大，号称为海南三大河(图1-4)。大多数河流发源于山前丘陵台地上，河短流急，由于河川流程短、坡降大、入海快，大量的水资源流入大海。在雨量集中、多暴雨条件下，河流水位暴涨暴落，流量变化急剧。汛期径流占全年径流总量80%以上(图1-5)，枯水期有的河流断流。

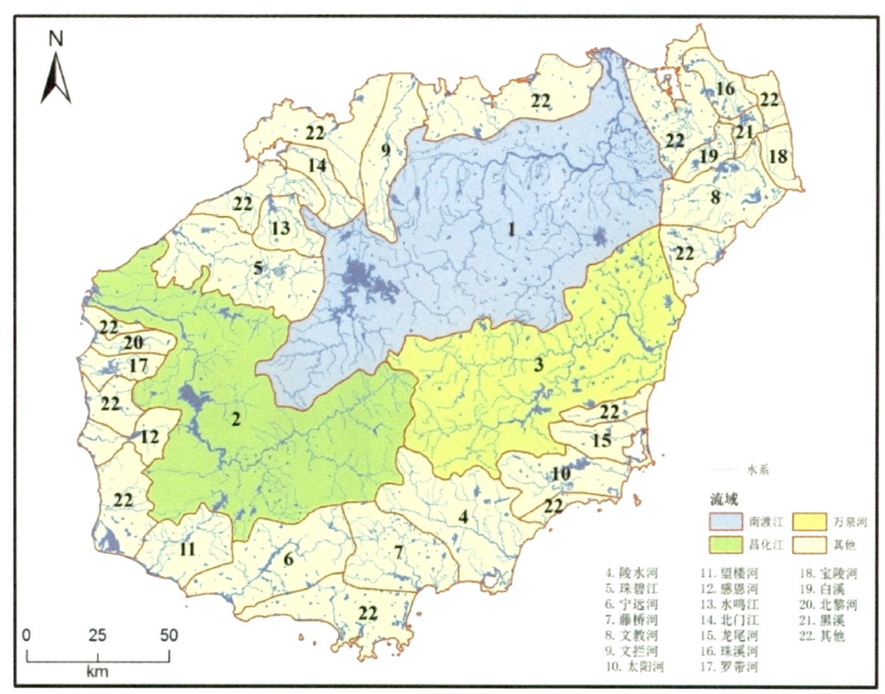

图 **1-4**　海南岛的水系

海南岛河川径流的补给主要来自大气降水。海南岛雨量充沛，全岛多年平均降水量为 1755 毫米，折合水量为 599.0 亿立方米，是我国降水量较多的省区，但全岛降水的时空分布不均匀，东部降水多于西部，自东向西递减。一年之内有明显干湿季节，雨季为 5～10 月，旱季为 11 月～翌年 4 月，雨季降水量占年雨量 60% 以上。全岛多年平均径流深为 909.0 毫米，折合径流量为 310 亿立方米，平均径流系数为 0.52。年径流量的地区变化趋势与降水的地区分布变化基本一致，南北差异小东西差异大，自东向西递减，并有山地大于平原和台地，迎风坡大于背风坡的特点。统计海南岛不同区域集雨面积≥100 平方公里的河流，径流量在 5 亿立方米以上的河流共计 14 条，其中 6 条分布在海南岛的东南部，整个西部地区仅有 5 条。

径流年内分配受降水支配。6 个月汛潮径流量占年径流量的 75%～85%。春季径流量占9%～12%；夏季占 21%～35%；秋季占 48%～57%；冬季占 7%～12%(图 1-5)。径流变差系数 Cv 为 0.50 左右，是珠江片区最大的。Cv 值的分布，东西两侧大(Cv＝0.50 左右)，中间较小(Cv＝0.40 左右)。径流系数，东部为 0.50～0.70，西部边缘区径流系统仅为 0.30 左右。

5　土　壤

根据曾昭璇(1989)对海南岛土壤的分析整理，海南岛热带性土壤有其独特的地理特征。其主要包括砖红壤、赤红壤、黄壤、燥红土、滨海砂土和水稻土等土类(图 1-6)。

5.1　砖红壤

砖红壤是海南热带雨林、季雨林下形成的地带性土壤。主要分布在丘陵和台地之上，300 米

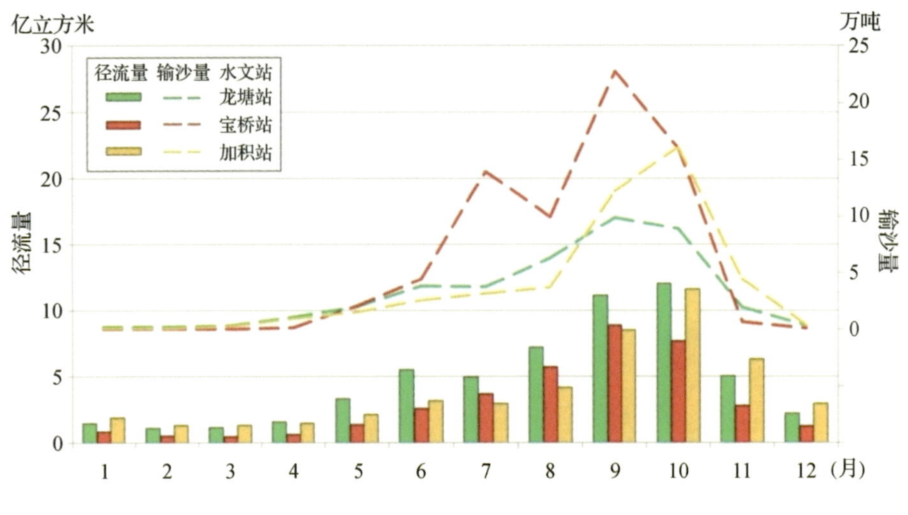

图 **1-5** 海南岛三大水系径流量及输沙量

（资料来源：杨志宏，2013）

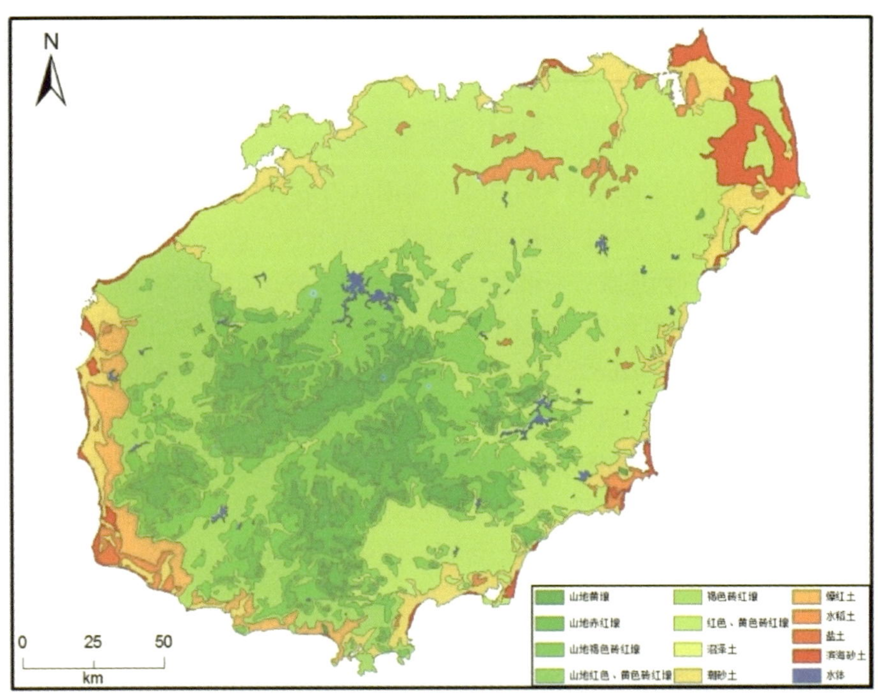

图 **1-6** 海南岛的土壤

以下丘陵，由于热带有明显干季，故有利于铁壳的形成。在东部湿润地区心土黄色（含水氧化铁较多）形成“黄色砖红壤”；西部旱区则以表层棕褐色为特点，因铁质、有机质含量较大之故，称为“褐色砖红壤”。

5.2 赤红壤

赤红壤又名砖红壤性红壤，是热带气候下影响红壤发育方向而成的土壤。由于山地地形影响，气温降低，干季较短，故形成砖红壤性红壤，也被称为“山地砖红壤”。其主要分布于400~800米，湿度条件较好。随着含水氧化铁增加，会出现呈黄色的黄色赤红壤，其主要是在山区东侧地区的热带雨林下发育成的。

5.3 黄 壤

黄壤是水湿条件下由赤红壤演变而来，故又名山地黄壤。一般分布在700米以上山地，由于常年多云雾，湿气大，故苔藓植物能在地面、树干、树枝上生长，土层铁质多成为含水氧化铁，土体呈黄色。黄壤是水源林和天然热带雨林分布区，表土多有腐殖质层，由于天然林较多，雨量大，气温较低，故在高处可见到“灰化”现象，及表土层下部被雨水淋溶呈灰白色土层。

5.4 燥红土

燥红土是干旱热带地区的土壤，分布于本岛最干旱的西南部东方县及乐东县境内的低丘和台地上，该处的年蒸发量大于降水量，土壤严重缺水，有机质缺乏，呈红色轻壤土，表层呈灰棕色，沙质疏松。由于地表干旱而植被稀少，而土质疏松，好气微生物占优势，植物强烈分解，土壤中腐殖质因而很少，肥力不高，成为瘠土区。

5.5 滨海砂土

在沿海岸带沙堤发育区，土质多沙，结构松散，成土作用时间短，故土壤剖面分化一般不明显，只有在林带上的砂土才有明显分化层。滨海砂土是海南岛主要土壤类型之一，因沿海岸带沙堤发育，沙滩广阔，故沙质土面积不大，且地理分布呈环状结构，宽200~4000米不等，如黄流、四更处，即有4000米宽、由几道沙堤和古泻湖低地交替组成，故地面呈波状起伏，也显示沙堤不断发育。

5.6 水稻土

水稻土主要是由于年中至少有几个月(一造田)是被水淹没，使土体呈淹水状况，因此，土壤剖面和旱地有很不同的发育层次。本岛水稻土一般的特点是耕作层浅，土质瘦，沙性大，即“浅、瘠、砂”，故水田不易高产。其主要分布于三角洲、河岸平原、阶地上，为本岛主要水稻耕作区，如南渡江中下游、文澜江、万泉河下游。

6 动植物概况

6.1 动物概况

最新统计，海南岛陆栖脊椎动物中兽类78种，隶属于9目23科55属(晏学飞等，2009)；鸟类436种，隶属于20目73科228属；爬行类103种，隶属于3目20科63属(史海涛等，2011)；

两栖动物 43 种，隶属于 2 目 7 科 17 属（史海涛等，2011），所有陆栖脊椎动物共计 660 种，32 目 123 科 363 属。海洋龟类 5 种，隶属于 1 目 2 科 5 属；海蛇 7 种，隶属于 1 目 1 科 4 属（史海涛等，2011）；淡水与河口鱼类 106 种，隶属 7 目 20 科 76 属（中国水产科学研究院珠江水产研究所，1986）；另外海南岛海域共记录鱼类 807 种，隶属 27 目，153 科（孙典荣等，2012）。

海南岛记录有潮间带生物 1140 种，其中海绵动物 1 科 2 种，腔肠动物 20 科 46 种，扁形动物 1 科 2 种，环节动物 24 科 61 种，拟软体动物 1 科 2 种，软体动物 80 科 423 种，节肢动物 32 科 185 种，棘皮动物 28 科 78 种，原索动物 3 科 3 种，鱼类 46 科 123 种，藻类植物 46 科 215 种（余勉余等，1990）。

6.2 植物概况

海南省记录有维管束植物 4804 种，隶属 1475 属，284 科，其中蕨类植物 56 科 137 属 519 种，种子植物 228 科 1338 属 4285 种（邢福武等，2012）。在 4285 种种子植物中有 397 种为海南特有种（Javier Fo. et al，2010a，b）。其中，海南省分布有丰富的典型湿地维管束植物，如红树林、海草、野生稻和溪流河沟中生长的水生和湿生植物。

第二节 社会经济状况

1 行政区划、人口、民族

1.1 行政区划

2012 年，海南省共有 19 个市县，其中 3 个地级市、204 个乡镇。

1.2 人口与民族

截至 2012 年，海南省共有人口 901.93 万人。其中海口市的人口数量最多，为 161.59 万人，其人口密度也是全省 19 个市县中最大的，为 701.1 人/平方公里。除三沙市外，海南人口主要集中在本岛沿海的市县，中部市县的人口较少，其中五指山市的人口最少，只有 11.29 万人。海南东部沿海市县的人口密度较高，西部沿海市县中只有儋州、临高和澄迈 3 个市县的人口密度较高，西部沿海的昌江县、东方市、乐东县和中部的白沙县、琼中县、保亭县、五指山市等 7 个市县属于低人口密度地区。

汉族人口占全省总人口的 81.98%。少数民族人口 162.56 万人，世居少数民族有黎、苗、壮、回族。其中，琼北地区的汉族人口比例较高，海口、文昌、琼海、定安、澄迈和临高等市县的汉族人口比例均达 95% 以上；中部地区的市县少数民族比例较高，五指山市、保亭县、白沙县、琼中县和陵水县少数民族人口的比例均达 50% 以上。

2 经济发展及工农业生产情况

2.1 经济发展

2012 年，海南省全年实现地区生产总值(GDP)2855.54 亿元，按可比价格计算，比 2011 年增长 9.1%。其中，第一产业增加值 711.54 亿元，增长 6.3%；第二产业增加值 804.47 亿元，增长 11.0%；第三产业增加值 1339.53 亿元，增长 9.5%。从动态看，经济增速呈现逐季加快态势。一季度全省地区生产总值增长 8.0%，上半年增长 8.1%，前三季度增长 8.4%，全年增长 9.1%(海南省统计年鉴，2013)。生产总值排在前三位的分别是海口市、儋州市和三亚市，这 3 个市县经济发展较好，且都是沿海市县，对海洋、湿地生态系统的利用开发的程度都较高。

2.2 工业生产情况

2012 年，海南省全年工业完成增加值 521.15 亿元，比上年增长 8.8%。其中，规模以上工业增加值 482.05 亿元，增长 8.9%。分轻重工业统计，轻工业增加值 106.17 亿元，增长 14.5%；重工业增加值 375.88 亿元，增长 7.5%。分经济类型统计，国有企业增长 25.4%，集体企业下降 33.6%，股份合作企业增长 25.5%，股份制企业增长 15.4%，外商及港澳台投资企业下降 0.6%，其他经济类型工业增长 17.1%。

2.3 农业生产情况

2012 年海南省水产品总产量 172.7 万吨，海洋捕捞产量、海水养殖产量、淡水捕捞产量和淡水养殖产量分别为 110.9 万吨、21.6 万吨、2.1 万吨和 38.1 万吨。其中临高和儋州水产高居全省第一、二位，两市县水产品总产量占全省 50.3%，其海洋捕捞的比例较高，分别达 89% 和 74%。内陆市县，特别是中部市县由于缺乏海洋捕捞业和海水养殖业，其水产品总量较低，淡水养殖是其水产的主要生产方式。

3 湿地文化

湿地文化是一个人为的过程，是人类在利用湿地、改造湿地的过程中，创造出来的所有物质财富和精神财富的总和。海南湿地文化最主要的特色是具有海洋特质的文化，是在近海及海岸湿地的改造过程中形成的。其中最明显的是海南岛东西部湿地文化的差异。在岛东部，如文昌、琼海、万宁和陵水一带，从古代起基本以南海出洋，在文化特征上显示出外向、开放、冒险和包容的特征。岛西部，如昌江、东方和乐东一带，由于其沿岸潮间带较宽，拥有丰富的海洋生物资源及海盐资源，形成了以海为田的海洋农业文化，如滩涂采集养殖、盐田等。二者都对妈祖等海神信仰崇拜，充分体现了其滨海湿地文化(齐建文等，2014)。

第二章 湿地类型

第一节 湿地类型与面积

1 概 述

1.1 湿地概况

海南岛陆地面积3.39万平方公里，本岛陆域海岸线长1528公里，另有大小离岛100余个。主要河流有南渡江、昌化江、万泉河等。绵长的海岸线，独特的气候、多样的地形地貌，星罗棋布的岛屿、珊瑚礁，纵横交错的河流、湖泊，孕育了丰富的湿地资源。

海南岛有符合起调标准的湿地斑块总计2465个(表2-1)。

表2-1 海南岛湿地斑块概况表

调查类型	线状斑块	面状斑块
一般调查	522	1516
重点调查	15	412
总 计	537	1928

海南特有的地理位置，孕育了丰富多样的湿地类型。以自然湿地为主，有较大的比例。海南岛湿地总面积为32.00万公顷，其中自然湿地面积为24.20万公顷，占湿地总面积的75.63%。此外海南岛还有人工湿地7.80万公顷，占湿地总面积的24.37%，其中以库塘与水产养殖场为主要的组成部分。

另外，海南省还有丰富的水稻田湿地资源，共计17.6万公顷(海南省统计年鉴，2012)。

1.2 各类型湿地的面积

根据我国湿地主管部门对湿地的分类，海南湿地现有5类18型，其中季节性河流、喀斯特溶洞、灌丛沼泽、森林沼泽、地热、淡水泉等6型湿地零散分布，这6型湿地斑块面积基本小于8公顷或短于5公里，在全省第二次湿地资源调查中不作为调查对象；农田湿地是重要的人工湿地之一，在海南广泛分布，但亦不作为本次湿地资源调查对象。

在海南5类25型湿地中的5类18型湿地斑块≥8公顷或长度>5公里，第二次湿地调查中对它们的所有斑块进行了现地调查，其总面积达到32.0万公顷，本规划以这次湿地调查数据的5类18型作分析评价。

从湿地类来看，各类湿地面积分别为：近海与海岸湿地共有346个斑块，面积20.17万公顷，占总面积的63.02%；河流湿地共有907个斑块，面积3.98万公顷，占总面积的12.42%；湖泊湿地共有26个斑块，面积0.06万公顷，占总面积的0.17%；沼泽湿地共有2个斑块，面积0.004万公顷，占总面积的0.01%；人工湿地(不含水稻田)共有1184个斑块，面积为7.80万公顷，占总面积的24.38%(表2-2、图2-1)。

从湿地型来看，海南岛浅海水域面积为14.47万公顷，占湿地总面积的45.21%；潮下水生层面积为0.05万公顷，占湿地总面积的0.16%；珊瑚礁面积为0.53万公顷，占湿地总面积的1.65%；岩石海岸面积为0.44万公顷，占湿地总面积的1.36%；沙石海滩面积为2.64万公顷，占湿地总面积的8.25%；淤泥质海滩面积为0.099万公顷，占湿地总面积的0.31%；红树林面积为0.47万公顷，占湿地总面积的1.48%；河口水域面积为0.70万公顷，占湿地总面积的2.18%；三角洲/沙洲/沙岛面积为0.002万公顷，占湿地总面积的0.01%；海岸性咸水湖面积为0.77万公顷，占湿地总面积的2.41%；永久性河流面积为3.51万公顷，占湿地总面积的10.97%；洪泛平原湿地面积为0.46万公顷，占湿地总面积的1.45%；永久性淡水湖面积为0.055万公顷，占湿地总面积的0.17%；草本沼泽面积为0.004万公顷，占湿地总面积的0.01%；库塘面积为5.67万公顷，占湿地总面积的17.73%；运河/输水河面积为0.08万公顷，占湿地总面积的0.26%；水产养殖场面积为1.56万公顷，占湿地总面积的4.87%；盐田面积为0.49万公顷，占湿地总面积的1.52%。

海南岛有水稻田175674.41公顷(海南省统计年鉴，2012)。

表2-2　海南岛湿地概况表

湿地类	湿地型	面积(公顷)	湿地型比例(%)	湿地类面积(公顷)	湿地类比例(%)
近海与海岸湿地	浅海水域	144695.05	45.21	201666.76	63.02
	潮下水生层	502.55	0.16		
	珊瑚礁	5283.36	1.65		
	岩石海岸	4355.27	1.36		
	沙石海滩	26405.51	8.25		
	淤泥质海滩	992.55	0.31		
	红树林	4736.05	1.48		
	河口水域	6969.28	2.18		
	三角洲/沙洲/沙岛	22.82	0.01		
	海岸性咸水湖	7704.32	2.41		

（续）

湿地类	湿地型	面积(公顷)	湿地型比例(%)	湿地类面积(公顷)	湿地类比例(%)
河流湿地	永久性河流	35108.59	10.97	39755.05	12.42
	洪泛平原湿地	4646.46	1.45		
湖泊湿地	永久性淡水湖	556.91	0.17	556.91	0.17
沼泽湿地	草本沼泽	43.68	0.01	43.68	0.01
人工湿地	库塘	56738.18	17.73	78003.99	24.38
	运河/输水河	840.63	0.26		
	水产养殖场	15562.14	4.87		
	盐田	4863.04	1.52		
合　计		320026.39	100	320026.39	100

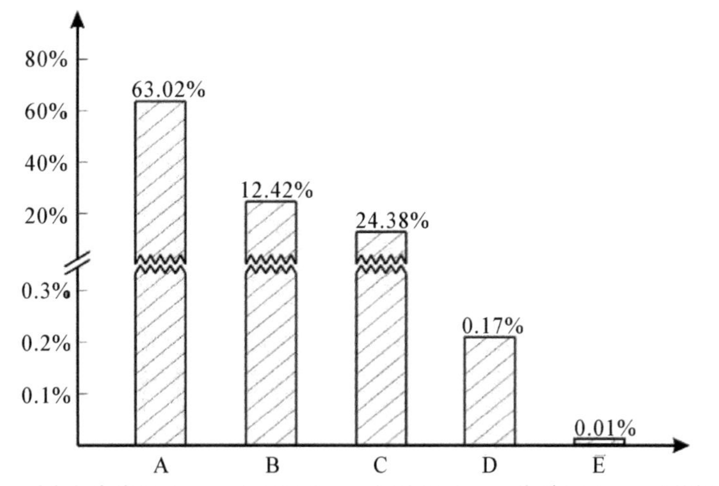

图 **2-1**　海南岛各湿地类比例构成图

1.3　各湿地区的湿地类及面积

根据《全国湿地资源调查技术规程(试行)》要求，海南岛划为 36 个湿地区，其中独立区划湿地区 15 个，零星湿地区 21 个。(表 2-3，图 2-2 和图 2-3)。

独立区划的 15 个独立湿地区的湿地总面积为 21.64 万公顷，其中湿地面积最大的是西海岸独立湿地区，湿地面积为 10.99 万公顷；东海岸独立湿地区次之，湿地面积 7.48 万公顷；第三的为松涛水库独立湿地区，湿地面积为 1.16 万公顷。

近海与海岸湿地面积最大的独立湿地区为西海岸独立湿地区，近海与海岸湿地面积为 10.91 万公顷；河流湿地面积最大的独立湿地区为西海岸独立湿地区，河流湿地面积为 0.032 万公顷；人工湿地以松涛水库独立湿地区最大，面积为 1.16 万公顷。

图 2-2 海南岛湿地分布图

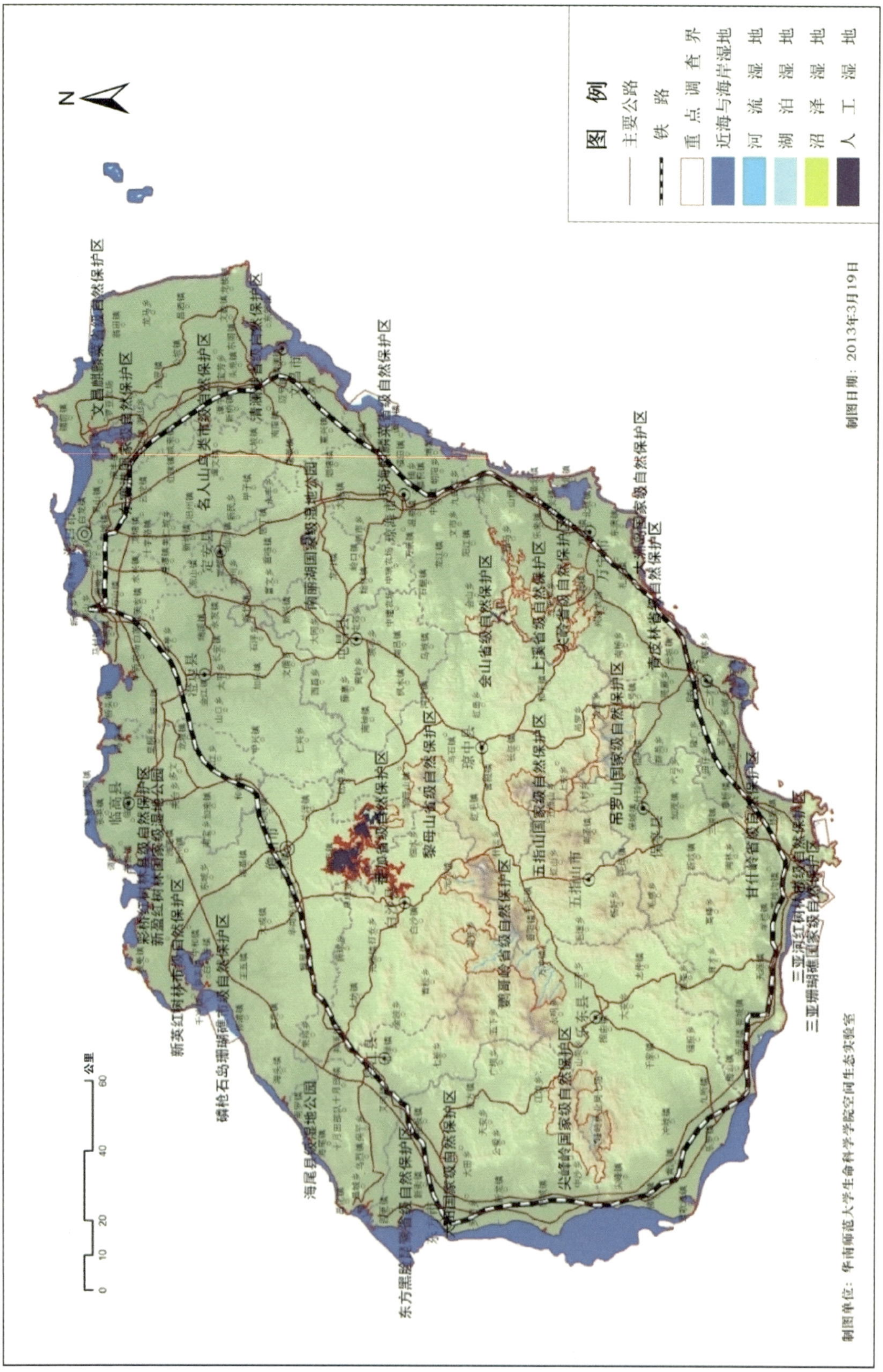

图2-3 海南岛重点调查湿地分布图

零星湿地区的湿地总面积为10.37万公顷，其中东方市的湿地面积最大，达到1.35万公顷；乐东县次之，其湿地面积为1.11万公顷；文昌市第三，其湿地面积为0.96万公顷。琼海市零星湿地区发育有最大面积的河流湿地，其次是澄迈县零星湿地区，第三是乐东县零星湿地区，河流湿地主要分布在南渡江流域。松涛水库独立湿地区的人工湿地面积最大，其次为东方市零星湿地区，第三为文昌市零星湿地区，人工湿地的湿地型主要为库塘，主要分布在海南岛四周的丘陵台地地区。

近海与海岸湿地主要分布在独立湿地区内，而独立湿地区内无湖泊湿地和沼泽湿地分布。河流湿地主要分布在零星湿地区内，湖泊湿地和沼泽湿地只在零星湿地区内分布，而近海与海岸湿地在零星湿地区内无分布。人工湿地分布较为广泛，在独立湿地区和零星湿地区内皆有分布。

表2-3　海南岛各湿地区湿地概况表(公顷)

序号	湿地类型 湿地区	近海与海岸湿地	河流湿地	湖泊湿地	沼泽湿地	人工湿地	合　计
独立湿地区		201666.76	623.93			14076.35	216367.04
1	东寨港独立湿地区	3841.51					3841.51
2	三亚珊瑚礁独立湿地区	647.23					647.23
3	五指山独立湿地区		5.46				5.46
4	鹦哥岭独立湿地区		147.20			17.64	164.84
5	松涛水库独立湿地区					11625.30	11625.30
6	洋浦港独立湿地区	5384.64	17.76			242.57	5644.97
7	清澜港独立湿地区	5183.08				294.42	5477.50
8	七洲列岛独立湿地区	3954.35					3954.35
9	大洲岛独立湿地区	133.47					133.47
10	尖峰岭独立湿地区		12.00			46.95	58.95
11	黎母山独立湿地区		61.13			43.93	105.06
12	吊罗山独立湿地区		59.97				59.97
13	东海岸独立湿地区	73444.72	320.41			995.79	74760.92
14	西海岸独立湿地区	109077.76				809.75	109887.51
零星湿地区			39131.12	556.91	43.68	63927.64	103659.35
1	秀英区零星湿地区		959.81			627.83	1587.64
2	龙华区零星湿地区		542.01	142.18		338.94	1023.13
3	琼山区零星湿地区		1480.39			2412.42	3892.81
4	美兰区零星湿地区		1727.87	24.43		1619.01	3371.31

（续）

序号	湿地类型 湿地区	近海与海岸湿地	河流湿地	湖泊湿地	沼泽湿地	人工湿地	合　计
5	三亚市零星湿地区		2662.53	12.91		3579.40	6254.84
6	五指山市零星湿地区		1164.22			285.33	1449.55
7	琼海市零星湿地区		3834.04	62.27		3574.34	7470.65
8	儋州市零星湿地区		1956.90	126.49		3651.14	5734.53
9	文昌市零星湿地区		1460.37	19.28		8172.77	9652.42
10	万宁市零星湿地区		1522.38	10.36	27.04	5535.40	7095.18
11	东方市零星湿地区		2893.26	26.59		10556.15	13476
12	定安县零星湿地区		1433.21			2338.31	3771.52
13	屯昌县零星湿地区		825.46			1490.16	2315.62
14	澄迈县零星湿地区		3673.93			2847.94	6521.87
15	临高县零星湿地区		1267.6			2585.42	3853.02
16	白沙县零星湿地区		1408.16			1583.99	2992.15
17	昌江县零星湿地区		2137.96		16.64	1544.01	3698.61
18	乐东县零星湿地区		3256.06	82.76		7840.42	11179.24
19	陵水县零星湿地区		1432.31	41.50		1528.43	3002.24
20	保亭县零星湿地区		814.45	8.14		989.47	1812.06
21	琼中县零星湿地区		2678.20			826.76	3504.96
合　计		201666.76	39755.05	556.91	43.68	78003.99	320026.39

1.4 各流域的湿地类及面积

根据《全国湿地资源调查技术规程(试行)》规定，包括滨海湿地流域在内，海南分属2个一级流域、2个二级流域、2个三级流域(表2-4)，海南岛流域湿地面积有11.62万公顷，占全省湿地面积的36.3%；滨海湿地20.39万公顷，占全省湿地面积的63.7%(表2-4)。

表2-4 海南岛各流域湿地面积汇总表(公顷)

一级流域	二级流域	三级流域	近海与海岸湿地	河流湿地	湖泊湿地	沼泽湿地	人工湿地	合　计
珠江区	海南岛及南海各岛诸河	海南岛	523.67	39688.03	556.91	43.68	75362.97	116175.26
滨海湿地	滨海湿地	滨海湿地	201143.09	67.02			2641.02	203851.13
合　计			201666.76	39755.05	556.91	43.68	78003.99	320026.39

1.5 各行政区的湿地类及面积

各市县湿地数据显示(表2-5，图2-4)，湿地总面积最大的是东方市，为5.95万公顷，其中近海与海岸湿地面积4.58万公顷，占该市湿地总面积的76.95%。东方市沿海均分布有沙石海滩，且在东方的四必湾分布有一片面积较大的红树林，此处是国际珍稀濒危鸟类黑脸琵鹭的重要越冬地。

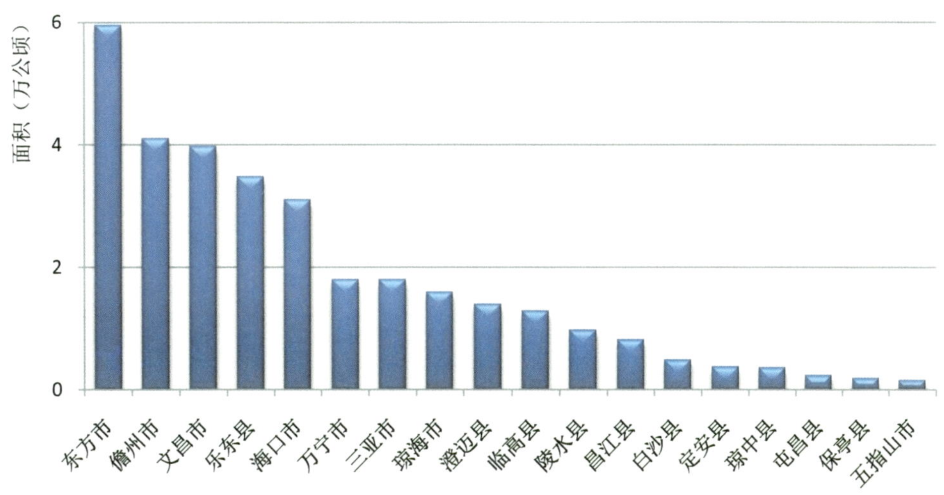

图2-4 海南岛各行政区湿地面积构成图

其次是儋州市，面积为4.09万公顷，其中近海与海岸湿地面积2.50万公顷，占该市湿地总面积的61.08%。儋州市海岸线蜿蜒，湿地类型多样，孕育有浅海水域、珊瑚礁、岩石海岸、沙石海滩、淤泥质海滩、红树林和河口水域等湿地类型。

文昌市的湿地面积居全省第三，面积为3.97万公顷，其中近海与海岸湿地面积为2.98万公顷，占该市湿地总面积的75.00%，分布有典型的潮下水生层、珊瑚礁和红树林，区内的清澜港分布有海南省内典型的红树林湿地。

表2-5 海南岛各市县湿地概况表(公顷)

序号	县级行政区	近海与海岸湿地	河流湿地	湖泊湿地	沼泽湿地	人工湿地	合 计
1	海口市*	21033.36	4710.08	166.61		4998.2	30908.25
	秀英区	4633.64	959.81			627.83	6221.28
	龙华区	752.55	542.01	142.18		338.94	1775.68
	琼山区		1480.39			2412.42	3892.81
	美兰区	15647.17	1727.87	24.43		1619.01	19018.48
2	三亚市	11083.1	2981.03	12.91		3841.79	17918.83
3	五指山市		1164.22			285.33	1449.55

（续）

序号	县级行政区	近海与海岸湿地	河流湿地	湖泊湿地	沼泽湿地	人工湿地	合 计
4	琼海市	8490.17	3834.04	62.27		3574.34	15960.82
5	儋州市	25000.43	1974.66	126.49		13847.08	40948.66
6	文昌市	29793.18	1460.37	19.28		8467.19	39740.02
7	万宁市	10915.9	1524.29	10.36	27.04	5535.40	18012.99
8	东方市	45764.38	2893.26	26.59		10828.00	59512.23
9	定安县		1433.21			2338.31	3771.52
10	屯昌县		825.46			1490.16	2315.62
11	澄迈县	7352.82	3673.93			2847.94	13874.69
12	临高县	8822.32	1267.6			2628.52	12718.44
13	白沙县		1488.11			3382.85	4870.96
14	昌江县	4077.34	2137.96		16.64	1929.52	8161.46
15	乐东县	23445.11	3335.31	82.76		7887.37	34750.55
16	陵水县	5888.65	1486.46	41.50		2261.83	9678.44
17	保亭县		820.27	8.14		989.47	1817.88
18	琼中县		2744.79			870.69	3615.48
合 计		201666.76	39755.05	556.91	43.68	78003.99	320026.39

* 海口市湿地面积为秀英区、龙华区、琼山区和美兰区4区湿地面积之和。

海口市分布有最大面积的河流湿地，面积达0.47万公顷，占全省河流湿地面积的11.85%；其次为琼海市，面积为0.38万公顷，占全省河流湿地面积的9.64%；澄迈县位列第三，面积为0.37万公顷，占全省河流湿地面积的9.24%。儋州市的人工湿地面积最大，为1.38万公顷，占全省人工湿地面积的17.75%，其中松涛水库占了较大的比例；其次是东方市，面积为1.08万公顷，占全省人工湿地的13.88%；第三是文昌市，面积为0.85万公顷，占全省人工湿地的10.85%。

全省湖泊湿地与沼泽湿地的面积较小，海口市的湖泊湿地面积为0.02万公顷，占全省湖泊湿地面积的29.6%，为全省第一；而沼泽湿地只分布在万宁市和昌江县，面积分别为27.04公顷和16.64公顷。

2 近海与海岸湿地

2.1 近海及海岸各湿地型及面积

本次调查的近海与海岸湿地的界定标准为：在近海与海岸地区由天然的滨海地貌形成的浅海、海岸、河口以及海岸性湖泊湿地。包括低潮水深不超过6米(含6米)的浅海区，以及位于湿地内的岛屿或低潮时水深不超过 6 米的海洋水体，特别是具有水禽生境意义的岛屿或水体；与沿海大潮高潮位与低潮位之间的潮浸地带。

海南多样的地形地貌和优越的自然条件孕育了类型多样、分布广泛的近海与海岸湿地，海南岛近海与海岸湿地类型总面积为 20.17 万公顷，占全省湿地面积的 63.06%，该湿地类中在海南岛分布有浅海水域、潮下水生层、珊瑚礁、岩石海岸、沙石海滩、淤泥质海滩、红树林、河口水域、三角洲/沙洲/沙岛、海岸性咸水湖等 10 个湿地型，分布在海南沿海各地区(表 2-6)。

表 2-6　近海与海岸湿地汇总表

湿地型代码	近海与海岸湿地型	面积(公顷)	百分比(%)
101	浅海水域	144695.45	71.75
102	潮下水生层	502.55	0.25
103	珊瑚礁	5283.36	2.62
104	岩石海岸	4355.27	2.16
105	沙石海滩	26431.15	13.11
106	淤泥质海滩	992.55	0.49
108	红树林	4710.97	2.34
109	河口水域	6969.32	3.45
110	三角洲/沙洲/沙岛	22.82	0.01
111	海岸性咸水湖	7704.32	3.82
合　计		201667.76	100

2.1.1　浅海水域

浅海水域是湿地内的岛屿或低潮时水深不超过 6 米的海洋水体，特别是具有水禽生境意义的岛屿或水体。浅海水域分布于海南岛沿海各市县；海南岛近岸海水温度水平分布，具有自北而南增高、西高东低以及冬季沿岸低外海高、夏季沿岸高而外海低的特点，岛东部和到西部海岸水温差约 9℃。冬季海口的海水平均温度为 18.7℃，南部三亚的海水温度平均温度为 22℃，是中国海岸冬季水温最高的岸段。海南岛沿海区域水深较浅，海水温度年变化受气候影响较大，具有年较差大，变化快的特点。水温最高值出现在夏季(5 ~ 9 月)，最低值出现在冬季(1 ~ 2 月)，年较差 7 ~ 11℃，水温年变化幅度由南向北递增。

环岛浅海沿岸表层海水的盐度，具有由沿岸向外海递增和时空分布差异较大的特点。全岸年平均盐度 3.264%，比我国北方沿岸盐度(盐度 2.8% ~3.0%)略高。春至夏初(3 ~ 5 月)，盐度为 3.156% ~3.448%，秋季(9 ~ 10 月)盐度偏低，一般为 1.855% ~3.211%。盐度极值为东方和乐东莺歌海分别高达 3.60% 和 3.62%(海南岛史志网，2012)。西海岸的浅海水域较东海岸的浅海水域面积大，说明西海岸的水下地形比东海岸平缓，可能是地球自转和海洋洋流的共同作用造成的。

浅海水域是海南岛的近海与海岸湿地中面积最大的湿地型，面积 14.47 万公顷，占近海与海岸湿地的 71.75%。海南是一个岛屿省份，浅海水域主要沿海南岛呈环状分布。沿海的市县皆有分布，包括海口、文昌、琼海、万宁、陵水、三亚、乐东、东方、昌江、儋州、临高、澄迈等 12

个市县(图 2-5)。

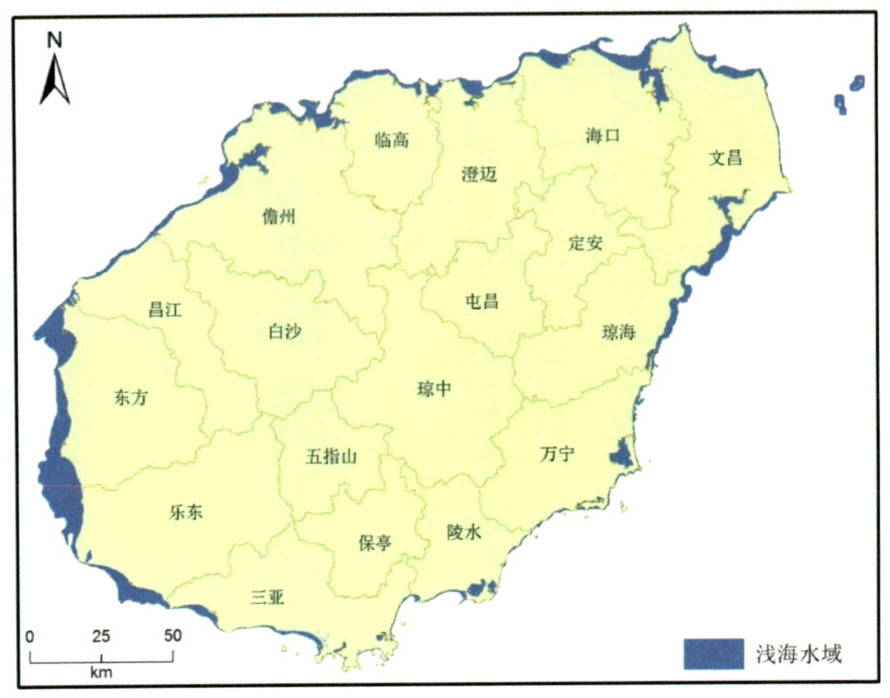

图 **2-5** 海南岛浅海水域分布图

2.1.2 潮下水生层

潮下水生层为低潮时水深不超过 6 米的海域，以及位于湿地内的岛屿或低潮时水深不超过 6 米的海洋水体，且水下植被盖度≥30% 的湿地。海南岛潮下水生层主要为海草场，海草场是生物圈中具有极高的初级生产力的水生生态系统之一(李文涛等，2009)。全世界海草约 50 种，南中国海分布了 20 多种(Hemming & Dualte，2000)，海草广泛分布于温带和热带的海岸带水域，偏爱水流速度较小的沿海泻湖、河口和海湾。海草常在沿海潮下带形成广大的海草床，海草床是高生产力区，这里的腐殖质特别多，是幼虾、稚鱼的良好生长场所，同时也有利于海鸟的栖息。它能为鱼、虾、蟹等海洋生物提供良好的栖息地和隐蔽保护场所，个别海草种类还是濒危保护动物儒艮的食物。

海南岛地处热带和亚热带过渡区，海草床曾经在海南岛西海岸线浅海附近均有分布。上世纪 80 年代后，海南岛的北黎湾、东水湾、洋浦湾等海域海草基本消失，东寨港、澄迈东水湾、昌化近海等海域海草正在渐渐衰退(黄小平，2006)。图 2-4 为过去记录的海草床和本次调查记录海草床分布位点，目前仍有海草床分布的位点主要分布于三亚湾、琼海龙湾、陵水县新村港与黎安港、文昌椰林湾(图 2-6)。其中喜盐草和二药藻分布最广；在现今 9 个海草床中，陵水黎安和新村两地的物种分别为 5 种和 4 种，而其他海草床的物种相对较少；现今海草床保存比较完整的是陵水县新村港和黎安港，在这里建立了我国第一个以海草为主要保护对象的海洋特别保护区。

本次调查潮下水生层面积为 0.05 万公顷，主要分布在陵水的新村港和黎安港、文昌的清澜港的椰林湾和海口的东寨港，水生植物主要为海菖蒲、泰来藻和二药藻(表 2-7)。历史记录的三

亚湾、琼海龙湾等地的海草床面积未达起调标准，未纳入本次调查数据中。

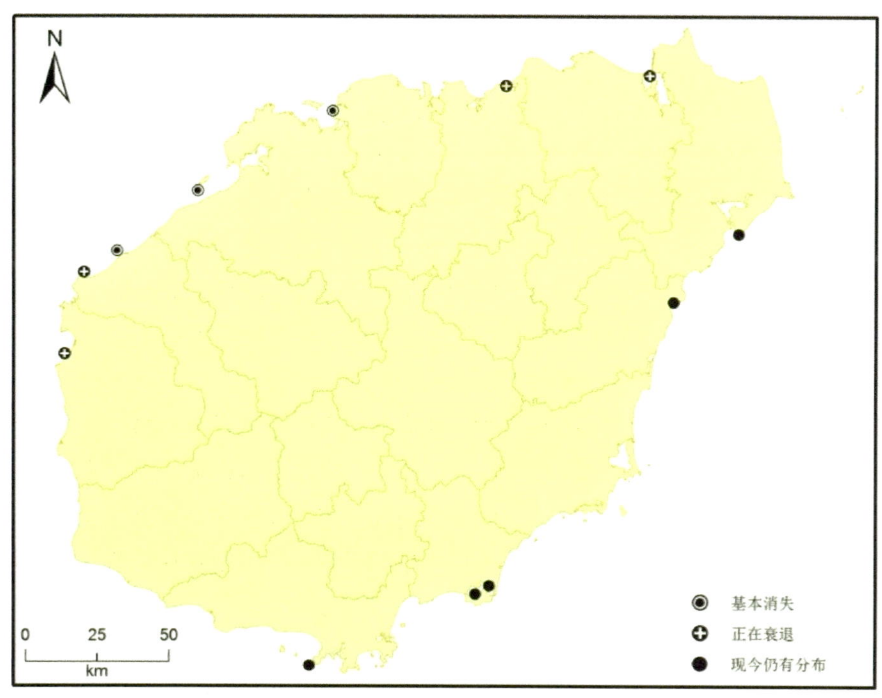

图 **2-6**　海南岛海草场分布变化(黄小平，2006；姚森，2011；王丕烈，2007)

表 2-7　海南岛海草物种名录及分布

科名		水鳖科			茨藻科	角果藻科	合计
物种名		海菖蒲	泰来藻	喜盐草	海神草	二药藻	
海口	东寨港			√		√	2
文昌	椰林湾		√	√	√		3
琼海	龙湾	√	√	√			3
陵水	黎安港	√	√	√	√	√	5
	新村港	√	√		√	√	4
三亚	三亚湾	√	√				2
东方	北黎湾			√		√	2
昌江	昌化			√		√	2
澄迈	东水湾					√	1
合计		4	5	6	3	6	

注：引自黄小平，2009；王丕烈，2007；郭文康，2011；姚森，2011。

海草床生态系统含有许多鱼类、虾类等生物资源。陵水县黎安港、新村港海草床分布有 4 种对虾，分别为刀额新对虾(*Metapenaeus ensis*)、短沟对虾(*Penaeu semisulcatus*)、日本对虾(*Penaeus japonius*)和周氏新对虾(*Metapenaeus joyneri*)；1 种篮子科鱼：黄斑篮子鱼(*Siganmus oramin*)；1 种海星：飞白枫海星(*Archaster typicus*)。黎安港分布 1 种海参：真锚参(*Euapta godefforyi*)，1 种海胆：刺冠海胆(*Diadema setosum*)。新村港分布 1 种海参：玉足海参(*Holothuria leucospilota*)，1 种海胆：杜氏洼角海胆(*Salmaciella dussumieri*)(黄小平等，2006)。

东寨港海草床主要底栖生物有纵带滩栖螺、粗糙拟滨螺、秀丽积纹螺、弹涂鱼、散纹樱蛤、文蛤、伊萨伯雪蛤、密鳞杓拿蛤、牡蛎、海月、寄居蟹、螃蟹、多毛类等物种(廖宝文，2009)。

海草床还有丰富浮游植物，文昌椰林湾浮游植物主要以刺菱形藻(*Nitzschia pungens*)、中肋骨条藻(*Skeletonema costatum*)、夜光藻(*Noctiluca scintillan*)、星脐圆筛藻(*Coscinodiscus asteromphalus*)和拟货币直链藻(*Melosira nummuloides*)等为优势种；底栖生物有奥莱彩螺、阿文绶贝、蛎敌荔枝螺、凸壳肌蛤、咬齿牡蛎、短脊鼓虾、锯缘青蟹、远海梭子蟹等物种。

2.1.3 珊瑚礁

珊瑚礁是基质由珊瑚聚集而成的浅海湿地。珊瑚是一类海洋无脊椎动物，属腔肠动物门(Coelenterata)、珊瑚虫纲(Anthozo)，能形成礁体的主要是石珊瑚目(Scleratinia)中的种类。无数微小的珊瑚虫聚集在一起，珊瑚虫死亡后其骨骼就成为珊瑚基座，其上又会长出新的珊瑚，珊瑚虫一代一代在先辈的"坟墓"上建造自己的巢穴，如此长期积累就形成了珊瑚礁。珊瑚礁是海洋中极为特殊的生态系统，被誉为"海洋中的热带雨林"(赵美霞等，2006)。它具有重要的生态功能，是多种鱼类赖以生存的栖息地。温度对珊瑚的分布影响很大，珊瑚一般生长在温度高于 20℃的赤道及其附近的热带、亚热带地区。在 16~17℃的温水中，造礁石珊瑚停止摄食，而 13℃是造礁石珊瑚的致死温度(邹发生等，2005)。

调查记录珊瑚礁湿地面积为 0.53 万公顷，主要分布于三亚珊瑚礁国家级自然保护区、文昌铜鼓嘴至琼海谭门港浅海地段、儋州南华港北部浅海、儋州月海—黄沙港浅海及神冲港—顿积港浅海地段(图 2-7)。

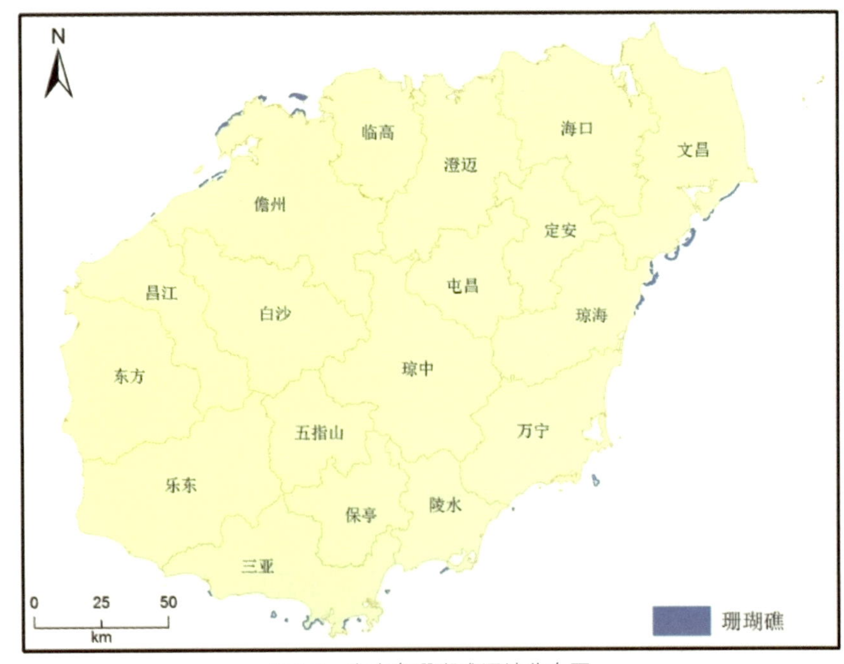

图 2-7 海南岛珊瑚礁湿地分布图

海南岛不同海岸线其珊瑚礁种类上有所不同，三亚市珊瑚礁国家级保护区处于海南岛最南端，气候较适宜珊瑚的生长，珊瑚种类也很丰富；根据练健生、黄晖等(2006)对三亚珊瑚的生物多样性调查结果，三亚石珊瑚物种数达81种，其最常见的10种造礁石珊瑚为丛生盔形珊瑚、澄黄滨珊瑚、秘密角蜂巢珊瑚、中华扁脑珊瑚、多孔鹿角珊瑚、梳状菊花珊瑚、同双星珊瑚、疣状杯形珊瑚、标准蜂巢珊瑚、繁锦蔷薇珊瑚。

文昌铜鼓嘴至琼海谭门港浅海地段珊瑚种类主要是叶形牡丹珊瑚、十字牡丹珊瑚、美丽鹿角珊瑚、澄黄滨珊瑚等(郭文康，2011)。

儋州南华港北部浅海、儋州月海—黄沙港浅海及神冲港—顿积港浅海地段珊瑚礁种类主要是盾形陀螺珊瑚、秘密角蜂巢珊瑚、精巧扁脑珊瑚、细角孔珊瑚、红色扇形珊瑚等(黄晖，2006)。

2.1.4 岩石海岸

岩石海岸是指底部基质75%以上是岩石和砾石的海岸，包括岩石性沿海岛屿、海岩峭壁。

该湿地型广泛分布在海南各个沿海市县，面积为0.44万公顷，主要分布于儋州海头港港口沿岸及神冲港沿岸、临高的黄龙港—调楼港—抱吴港、文昌东北部沿海及铜鼓嘴沿岸、万宁正门海沿岸及乌场大海沿岸(图2-8)。岩石海岸生物种类较多，且生物群落成带分布较显著，岩缝、石缝等为自由活动的生物提供较掩蔽的栖息场所，岩面多为一些附着能力强的生物，其丰富的生物资源为鸟类提供了良好的取食场所；儋州市、文昌市、临高县、万宁县的主要底栖生物为方格星虫、曲线索贻贝、黄边糙乌蛤、钝齿短浆蟹、长腕和尚蟹、紫海胆。

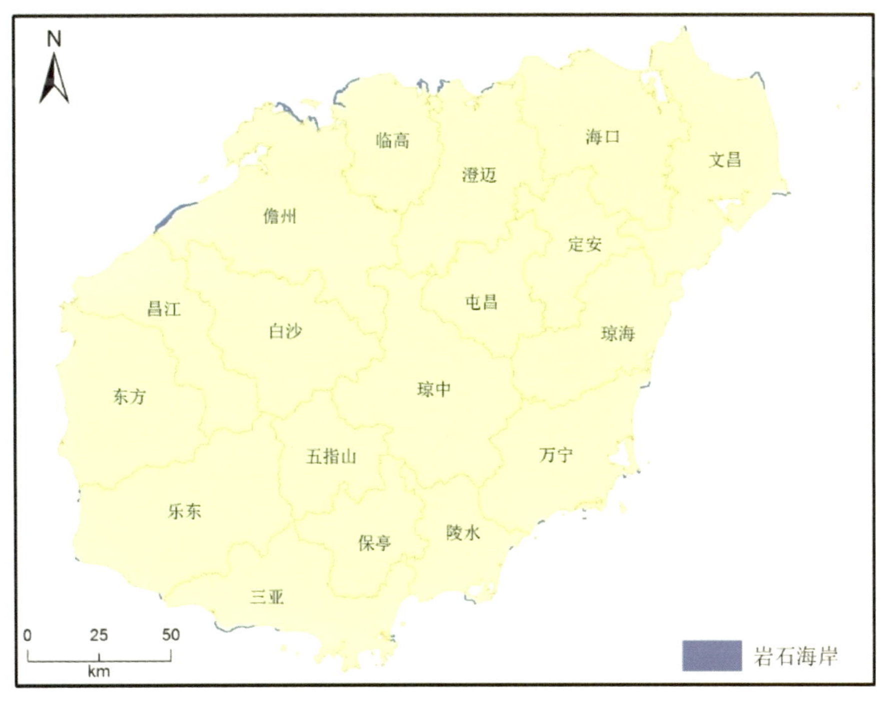

图2-8　海南岛岩石海岸分布图

2.1.5 沙石海滩

沙石海滩是指由砂质或沙石组成的，植被盖度小于30%的疏松海滩。海南岛沙石海滩面积为

2.64 万公顷，主要分布于海口市、三亚市、儋州市、文昌市、琼海市、乐东县、临高县等地(图 2-9)。

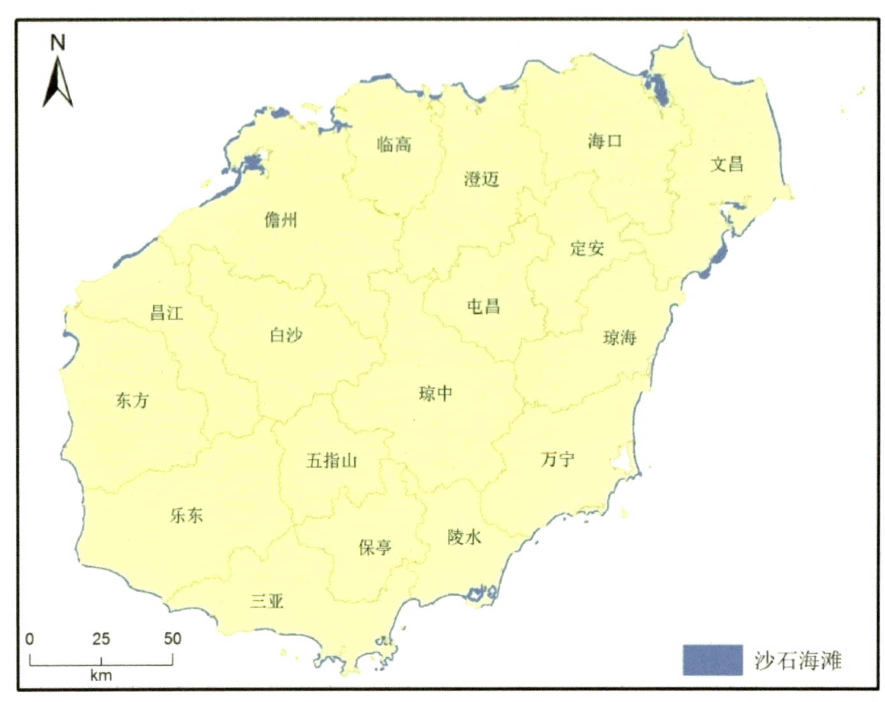

图 **2-9** 海南岛沙石海滩分布图

沙滩具有独特的生态环境，是海龟产卵不可替代的生态系统。沙质因暴露程度和遮蔽程度不同，潮间带生物种类的数量多寡差异较大；儋州市、文昌市、琼海市内沙石海滩底栖生物种类较为相似，主要为远海梭子蟹、凹指招潮、刀额新对虾、黄边糙鸟蛤、白蝶贝、钝齿短浆蟹等；海口市、临高沙石海滩底栖生物主要为奥莱彩螺、纵带滩栖螺、泥蚶、曲线索贻贝、黄边糙鸟蛤等；三亚市、乐东县底栖生物主要为吉对虾、白纹方蟹、文蛤、黄边糙鸟蛤、黑海参、棕环海参等(郭文康，2011)。

2.1.6 淤泥质海滩

该湿地型是淤泥质组成的，植被盖度小于 30% 的淤泥质海滩。淤泥质海滩是重要的滨海湿地，其生物资源丰富，是多种鸟类重要的栖息场所；由于大多数淤泥质海滩土质肥沃，常被开发成为滩涂养殖场。

海南岛淤泥质海滩主要分布在儋州春江入海口、海口南渡江入海口、三亚榆林河入海口、澄迈花场湾沿岸，面积为 0.099 万公顷。

海口南渡江入海口和澄迈花场湾沿岸主要底栖动物有泥蚶、渤海鸭咀蛤、胆形织纹螺、奥莱彩螺、刀额新对虾、长腕和尚蟹、马氏珠母贝等(郭文康，2011)。

2.1.7 红树林

红树林湿地是指由红树植物为主组成的潮间沼泽。红树林为热带海岸的一种特殊的群落类型，被称为“海岸卫士”，同时红树林湿地也是世界上四大高生产力海洋生态系统之一，在维持生态平衡中起着不可替代的作用。红树林湿地既能为人类提供原材料或生产场所，如：药用、化工、饲料、建材、薪炭等材料；同时可为鱼虾等经济动物养殖提供场所(梁士楚等，1999)；是许多重要鸟类栖息场所。

海南红树林湿地型面积为0.47万公顷，占近海与海岸湿地2.34%。主要分布在海口市美兰区东寨港、文昌清澜港、三亚河及青梅港、东方黑脸琵鹭省级自然保护区、儋州洋浦港及新盈红树林市级保护区、临高新盈红树林森林公园及红牌港、马枭、澄迈花场湾沿岸及东水港沿岸。

目前全世界真红树有70种27属20科(林鹏，2001)。海南红树林属于东方红树林群落，自然分布的真红树26种，约占全球真红树物种数的37.14%，本次调查共记录到真红树20种、占海南岛总红树的77%，半红树7种，外来引进种1种。海南红树林的典型性和物种多样性在我国的红树林是不可多得的。

2.1.8 河口水域

从近口段的潮区界(潮差为零)至口外海滨段的淡水舌锋缘之间的永久性水域为河口水域。河口水域是海南近海与海岸湿地面积第三大的湿地型，达到0.70万公顷，占近海与海岸湿地3.45%。主要分布在南渡江、昌化江、万泉河和文教河等河流入海口等地。

2.1.9 三角洲/沙洲/沙岛

三角洲/沙洲/沙岛是指河口系统四周冲积的泥/沙滩，沙洲、沙岛(包括水下部分)，其植被盖度小于30%。海南地形坡降大，河流的径流较短，且水中的含沙量低，在河口等处并未发育有典型的三角洲/沙洲/沙岛湿地，分布面积较小，仅有22.82公顷，占近海与海岸湿地的0.01%，是海南面积最小的近海与海岸湿地。主要分布在望楼河的入海口处。

2.1.10 海岸性咸水湖

海岸性咸水湖是指地处海滨区域有一个或多个狭窄水道与海相通的湖泊，包括海岸性微咸水、咸水或盐水湖。海岸性咸水湖面积为0.77万公顷，占近海与海岸湿地的3.82%，主要分布在万宁的小海与神州半岛等区域。

2.2 近海与海岸湿地类在各湿地区的湿地型及面积

全省涉及近海与海岸湿地的湿地区共8个，全为独立湿地区，统计各湿地区近海与海岸湿地的面积分布(表2-8，图2-10)。

表2-8 各湿地区近海与海岸湿地统计表(公顷)

湿地型 湿地区	101	102	103	104	105	106	108	109	110	111	合 计
东寨港独立湿地区	120.34	194.1			1706.23		1771.08	50.05			3841.8
三亚珊瑚礁独立湿地区			378.14		269.09						647.23
洋浦港独立湿地区	451.79				1920.72	364.07	385.46	2262.6			5384.64

（续）

湿地区＼湿地型	101	102	103	104	105	106	108	109	110	111	合　计
清澜港独立湿地区	95.95				1476.65		1663.1	1947.38			5183.08
七洲列岛独立湿地区	3954.35										3954.35
大洲岛独立湿地区	46.94		86.53								133.47
东海岸独立湿地区	49727.55	308.45	2651.8	887.03	10579.24	192.25	352.24	1548.36		7198.2	73445.12
西海岸独立湿地区	90298.53		2166.89	3468.24	10479.22	436.23	539.09	1160.93	22.82	506.12	109078.07
合　计	144695.45	502.55	5283.36	4355.27	26431.15	992.55	4710.97	6969.32	22.82	7704.32	201667.76

湿地型：101 = 浅海水域；102 = 潮下水生层；103 = 珊瑚礁；104 = 岩石海岸；105 = 沙石海滩；106 = 淤泥质海滩；108 = 红树林；109 = 河口水域；110 = 三角洲/沙洲/沙岛；111 = 海岸性咸水湖。

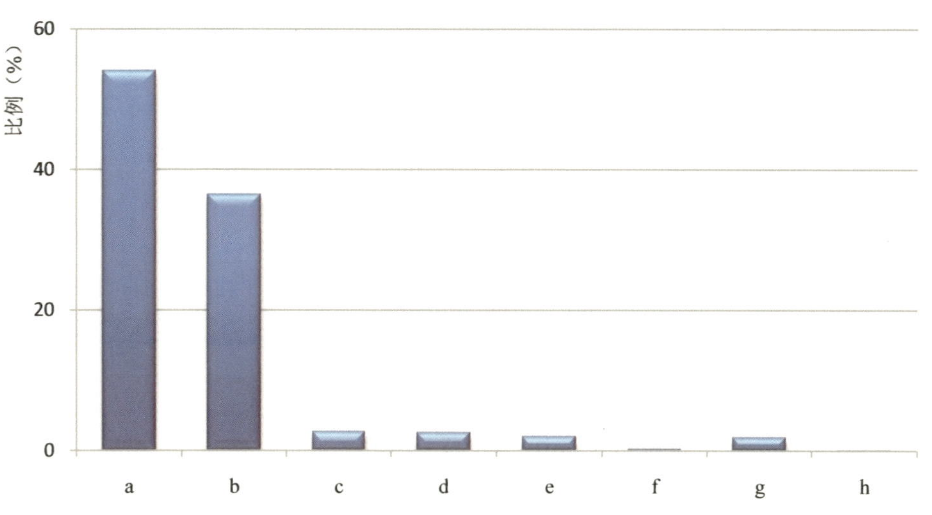

图 **2-10**　各湿地区近海与海岸湿地面积比例

涉及的湿地区：a = 西海岸独立湿地区；b = 东海岸独立湿地区；c = 洋浦港独立湿地区；d = 清澜港独立湿地区；e = 七洲列岛独立湿地区；f = 三亚珊瑚礁独立湿地区；g = 东寨港独立湿地区；h = 大洲岛独立湿地区

近海与海岸湿地涉及的湿地区内西海岸独立湿地区的湿地面积最大，为 10.91 万公顷，占近海与海岸湿地总面积的 53.64%。其次为东海岸独立湿地区，为 7.32 万公顷，占 35.99%。

2.3　各行政区的湿地型及面积

近海与海岸湿地主要分布在海南(海南岛)沿海区域，共有 12 个市县涉及近海与海岸湿地(表 2-9)。

东方市分布有全岛最大面积的近海与海岸湿地，面积为 4.58 万公顷，占近海与海岸湿地总面积的 22.5%；文昌市的近海与海岸湿地面积为全岛第二，面积为 2.98 万公顷，占近海与海岸湿地总面积的 14.59%；儋州市分布有近海与海岸湿地面积为 2.50 万公顷，占近海与海岸湿地总面积的 12.29%，位居全岛第三位（图 2-11）。

表 2-9　各市县近海与海岸湿地统计表（公顷）

序号	县级行政区	湿地型										合　计
		101	102	103	104	105	106	108	109	110	111	
1	海口市*	14729.4	194.1			3726.5	29.0	1796.8	557.6			21033.4
	秀英区	4532.2				101.4						4633.6
	龙华区	697.6					29.0	26.0				752.6
	美兰区	9499.6	194.1			3625.1		1770.8	557.6			15647.2
2	三亚市	8154.6		460.3	229.6	1410.1	163.3	241.1			424.2	11083.1
3	琼海市	6222.7		977.2		562.7			727.6			8490.2
4	儋州市	10287.5		2166.9	2314.6	6917.3	364.1	608.2	2341.9			25000.4
5	文昌市	18642.0	101.3	1453.3	409.1	5238.4		1688.5	2260.6			29793.2
6	万宁市	4055.0		86.5	191.8	1269.4		57.6			5255.6	10915.9
7	东方市	44669.8				1036.3		58.2				45764.4
8	澄迈县	5091.4			298.2	824.9	237.6	129.2	771.5			7352.8
9	临高县	5466.2			805.4	1958.5	198.6	128.9	264.6			8822.3
10	昌江县	2920.3				1157.0						4077.3
11	乐东县	22315.0			50.1	505.7			45.5	22.8	506.1	23445.1
12	陵水县	2141.2	207.2	139.1	56.5	1798.7		27.5			1518.5	5888.7
合　计		144695.1	502.6	5283.4	4355.3	26405.5	992.6	4736.1	6969.3	22.8	7704.3	201666.8

*海口市面积统计包括秀英区、龙华区和美兰区。湿地型：101 = 浅海水域；102 = 潮下水生层；103 = 珊瑚礁；104 = 岩石海岸；105 = 沙石海滩；106 = 淤泥质海滩；108 = 红树林；109 = 河口水域；110 = 三角洲/沙洲/沙岛；111 = 海岸性咸水湖。

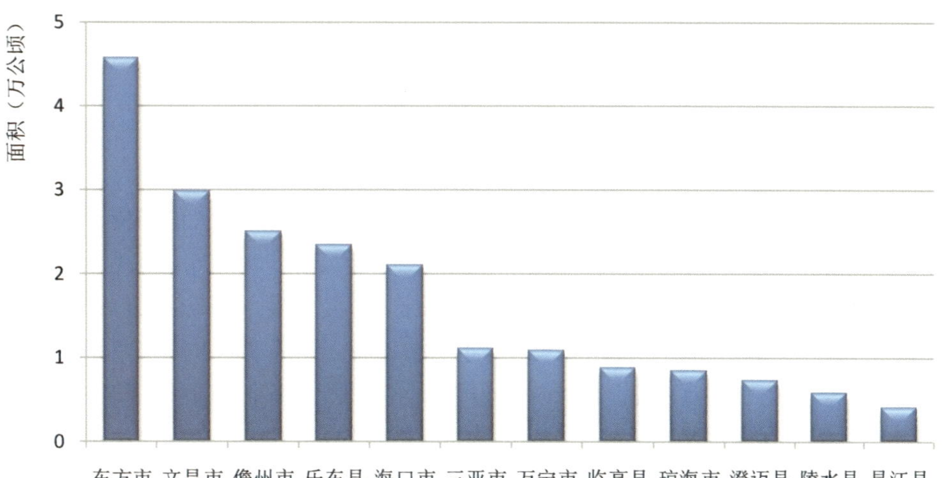

图 **2-11**　各市县近海与海岸湿地面积

3　河流湿地

3.1　河流各湿地型及面积

河流湿地是指按调查期内河流的多年平均最高水位所淹没的区域。本次调查范围为宽度 10m 以上，长度 5 公里以上的河流湿地。

调查统计，海南河流湿地面积为 3.98 万公顷，占全省湿地面积的 12.42%，包括永久性河流和泛洪平源湿地 2 个湿地型(图 2-12)，主要集中分布在中部山地、丘陵、台地及平原地区(图 2-13，图 2-14)。

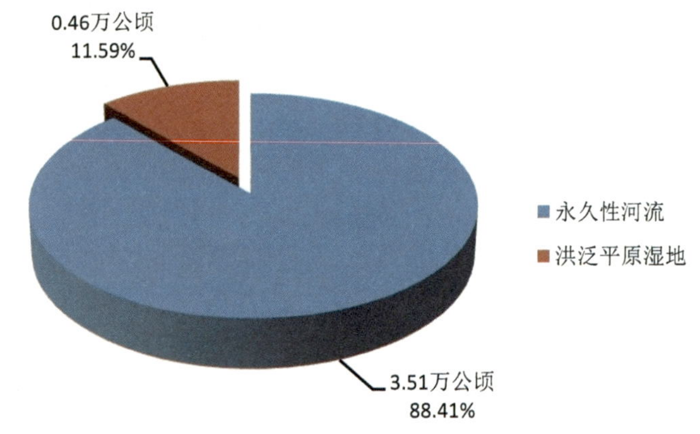

图 **2-12**　河流湿地各型面积比例

此外，海南还记录有季节性或间歇性河流、喀斯特溶洞湿地 2 型湿地。季节性或间歇性河流多分布在海南岛中部地区，由于旱湿季明显，出现季节性的河流，但由于海南岛地形坡降大，这些河流多短小，不符合本次调查标准；而喀斯特溶洞湿地多分布在海南岛石灰岩分布地区，由于海南岛的石灰岩发育并不典型，未能形成大型的喀斯特溶洞湿地，仅在儋州发现了一处地下河，但也不符合本次调查标准。故这 2 型湿地未纳入本次调查数据统计。

3.1.1　永久性河流

永久性河流湿地指常年有河水径流的河流，仅包括河床部分。

永久性河流是由岛中南部山地发育形成的永久性水体，由中南山地向四周辐射奔流入海。海南岛没有特别大的河流，独立入海的主要有十大水系：昌化江、万泉河、南渡江、北门江、陵水河、藤桥河、龙首河、太阳河、望楼河、珠碧江。其中南渡江是岛上最大的河流，发源于白沙县南峰山，流向东北，斜贯岛的北部，经儋州市、澄迈县、定安县、海口市三联村注入琼州海峡。岛内河流径流来自降雨，东西时空分配不均；岩石河床，上陡下缓，以短促著称；洪峰高，历时短(一般 2 ~3 天)，中水期也不显著；常水期河水清澈见底，但洪水期含沙较多，河流下游多有淤积；分水岭间多有地平山坳，特别是下游分水岭很不明显，为跨流域调水带来有利条件。

海南永久性河流湿地面积为 3.51 万公顷，占河流湿地的 88.31%。全岛皆有分布。

3.1.2　洪泛平原湿地

洪泛平原湿地是指在丰水季节洪水泛滥的河滩、河心洲、河谷，季节性泛滥的草地以及保持

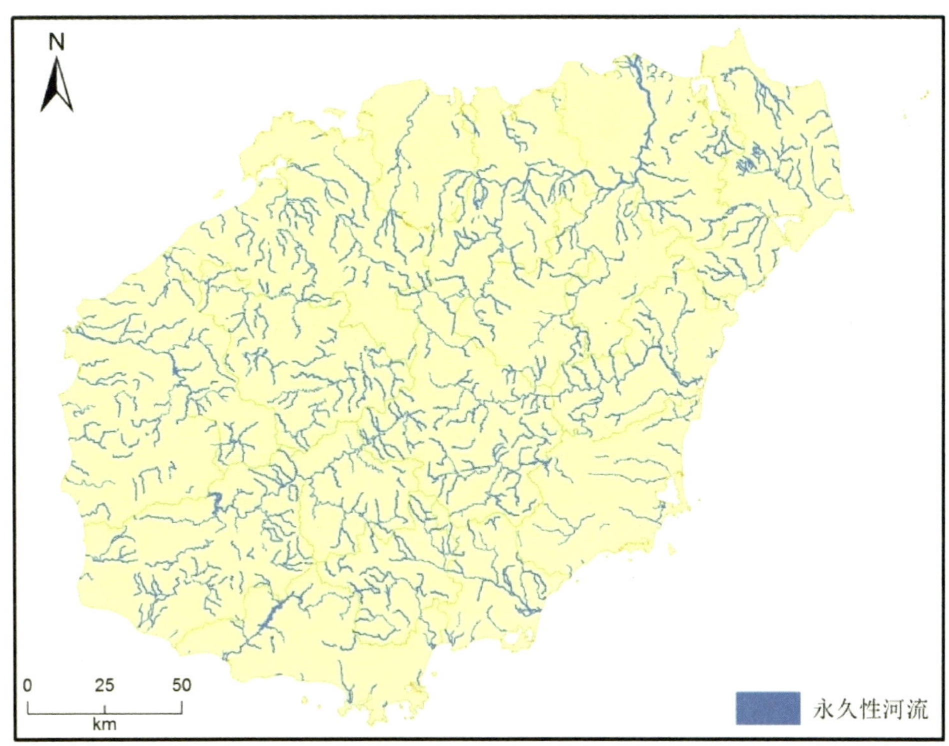

图 **2-13** 海南岛永久性河流分布图

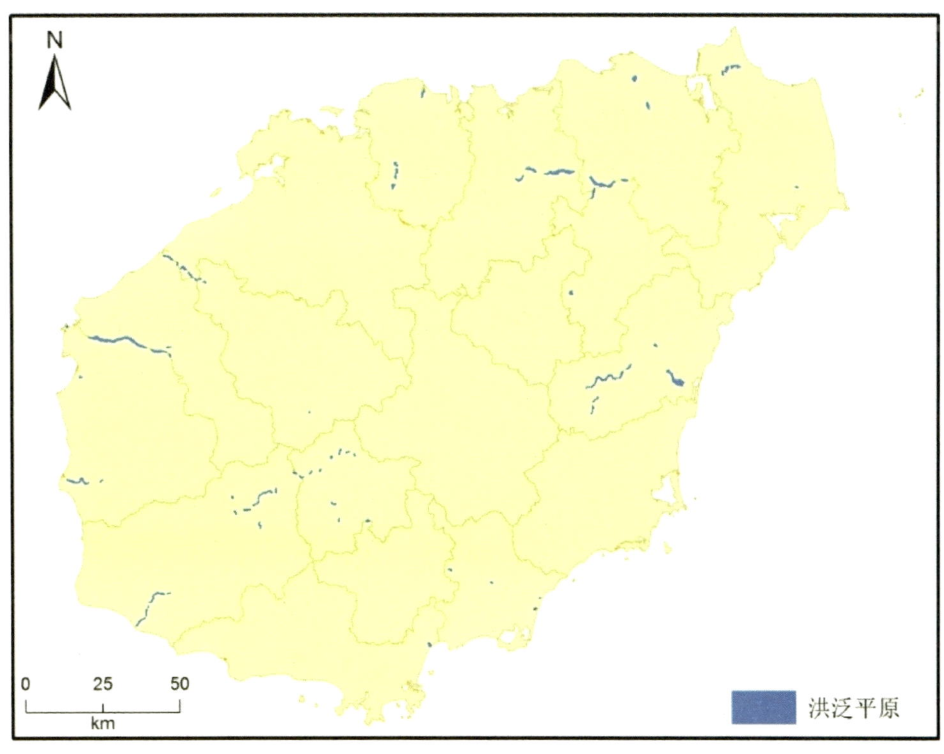

图 **2-14** 海南岛洪泛平原湿地分布图

了常年或季节性被水浸润的内陆三角洲。海南洪泛平原湿地面积0.46万公顷，占河流湿地的11.69%。由于海南的河流短促急速，坡降较大，并未发育有典型的、面积较大的洪泛平原湿地，只在丘陵台地区域部分大江大河中下游的河段，由于河流流速减弱，散布有部分洪泛平原湿地。

3.2 各流域的湿地型及面积

海南河流湿地涉及2个一级流域，2个二级流域和2个三级流域。统计海南岛的各流域河流湿地的面积(表2-10)。海南岛三级流域涉及的永久性河流湿地面积3.97万公顷，占永久性河流湿地总面积的99.83%；滨海湿地三级流域涉及的永久性河流面积67.02公顷，仅占永久性河流湿地总面积的0.17%。海南的洪泛平原湿地仅分布在海南岛三级流域内，面积为0.46万公顷。

表2-10 各流域河流湿地面积统计表(公顷)

一级流域	二级流域	三级流域	永久性河流	洪泛平原湿地	合 计
珠江区	海南岛及南海各岛诸河	海南岛	35041.57	4646.46	39688.03
滨海湿地	滨海湿地	滨海湿地	67.02		67.02
合 计			35108.59	4646.46	39755.05

3.3 各湿地区的湿地型及面积

海南岛河流湿地共涉及28个湿地区(表2-11)，河流湿地主要分布在各个市县的流域范围内。各湿地区中河流湿地面积最大的为琼海市零星湿地区，面积为0.38万公顷，占河流湿地总面积的9.64%；其次为澄迈县零星湿地区，面积为0.37万公顷，占河流湿地总面积的9.24%；第三是乐东县零星湿地区，面积为0.33万公顷，占河流湿地的8.19%。

表2-11 各湿地区河流湿地型面积统计(公顷)

序号	湿地区名称	永久性河流	洪泛平原湿地	合 计
独立湿地区面积合计		623.93		623.93
1	五指山独立湿地区	5.46		5.46
2	鹦哥岭独立湿地区	147.20		147.20
3	洋浦港独立湿地区	17.76		17.76
4	尖峰岭独立湿地区	12.00		12.00
5	黎母山独立湿地区	61.13		61.13
6	吊罗山独立湿地区	59.97		59.97
7	东海岸独立湿地区	320.41		320.41
零星湿地区面积合计		34484.66	4646.46	39131.12
8	秀英区零星湿地区	520.65	439.16	959.81
9	龙华区零星湿地区	497.61	44.40	542.01
10	琼山区零星湿地区	1480.39		1480.39

（续）

序号	湿地区名称	永久性河流	洪泛平原湿地	合　计
11	美兰区零星湿地区	1505.50	222.37	1727.87
12	三亚市零星湿地区	2613.46	49.07	2662.53
13	五指山市零星湿地区	1006.13	158.09	1164.22
14	琼海市零星湿地区	3112.48	721.56	3834.04
15	儋州市零星湿地区	1826.01	130.89	1956.90
16	文昌市零星湿地区	1323.53	136.84	1460.37
17	万宁市零星湿地区	1522.38		1522.38
18	东方市零星湿地区	2029.60	863.66	2893.26
19	定安县零星湿地区	1370.08	63.13	1433.21
20	屯昌县零星湿地区	825.46		825.46
21	澄迈县零星湿地区	3013.58	660.35	3673.93
22	临高县零星湿地区	1024.29	243.31	1267.60
23	白沙县零星湿地区	1377.28	30.88	1408.16
24	昌江县零星湿地区	1734.01	403.95	2137.96
25	乐东县零星湿地区	2862.23	393.83	3256.06
26	陵水县零星湿地区	1374.29	58.02	1432.31
27	保亭县零星湿地区	787.50	26.95	814.45
28	琼中县零星湿地区	2678.20		2678.20
合　计		35108.59	4646.46	39755.05

永久性河流面积最大的湿地区为琼海市零星湿地区，面积为0.31万公顷，占永久性河流湿地总面积的8.87%；其次为澄迈县零星湿地区，面积为0.30万公顷，占永久性河流湿地总面积的8.58%；第三为乐东县零星湿地区，面积为0.29万公顷，占永久性河流湿地总面积的8.15%。洪泛平原湿地面积最大的湿地区为东方市零星湿地区，面积为0.086万公顷，占洪泛平原湿地总面积的18.59%；其次为琼海市零星湿地区，面积为0.072万公顷，占洪泛平原湿地总面积的15.53%；第三为澄迈零星湿地区，面积为0.066万公顷，占洪泛平原湿地总面积的14.22%。

3.4　各行政区的湿地型及面积

海南共有18个市县涉及河流湿地。海口市是南渡江为主要流域，且地势平坦，江河宽阔，河流湿地面积0.47万公顷，其中美兰区河流湿地面积为4个区中最大，面积为0.17万公顷。琼海市河流湿地面积居第二。琼海市是万泉河的主要流域，河流湿地面积0.38万公顷。澄迈县地处北部台地，河网密度，河流湿地面积为0.37万公顷，居第三(图2-15)。

海口市、琼海市和澄迈县的永久性河流面积位列前三位，面积皆大于0.3万公顷；东方市、

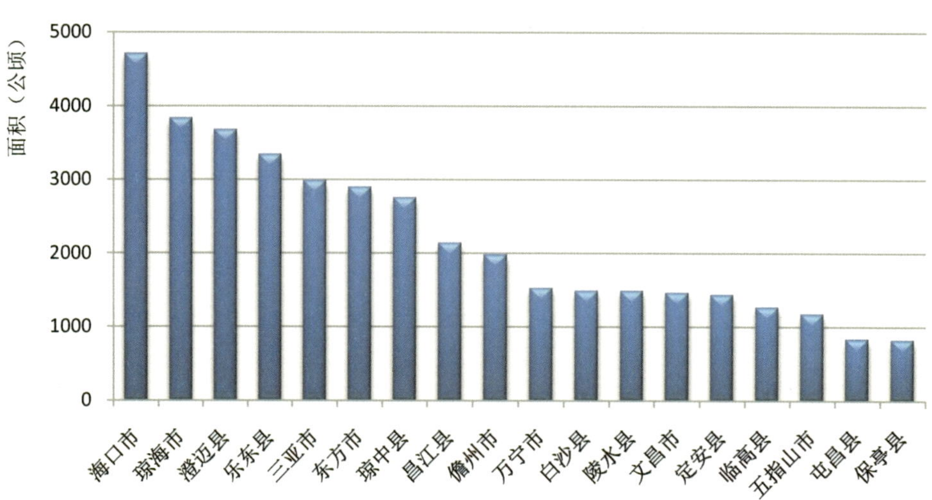

图 **2-15**　各市县河流湿地分布概况

琼海市和海口市的洪泛平原湿地面积居前三位，其中东方市的洪泛平原湿地面积占海南洪泛平原湿地总面积的 18. 59%；琼海市的占 15. 53%；海口市占 15. 19%(表 2-12)。

表 2-12　海南岛各市县河流湿地分类汇总表(公顷)

序　号	县级行政区	永久性河流	洪泛平原湿地	合　计
1	海口市*	4004. 15	705. 93	4710. 08
	秀英区	520. 65	439. 16	959. 81
	龙华区	497. 61	44. 4	542. 01
	琼山区	1480. 39		1480. 39
	美兰区	1505. 5	222. 37	1727. 87
2	三亚市	2931. 96	49. 07	2981. 03
3	五指山市	1006. 13	158. 09	1164. 22
4	琼海市	3112. 48	721. 56	3834. 04
5	儋州市	1843. 77	130. 89	1974. 66
6	文昌市	1323. 53	136. 84	1460. 37
7	万宁市	1524. 29		1524. 29
8	东方市	2029. 6	863. 66	2893. 26
9	定安县	1370. 08	63. 13	1433. 21
10	屯昌县	825. 46		825. 46
11	澄迈县	3013. 58	660. 35	3673. 93
12	临高县	1024. 29	243. 31	1267. 6
13	白沙县	1457. 23	30. 88	1488. 11

（续）

序　号	县级行政区	永久性河流	洪泛平原湿地	合　计
14	昌江县	1734. 01	403. 95	2137. 96
15	乐东县	2941. 48	393. 83	3335. 31
16	陵水县	1428. 44	58. 02	1486. 46
17	保亭县	793. 32	26. 95	820. 27
18	琼中县	2744. 79		2744. 79
合　计		35108. 59	4646. 46	39755. 05

＊海口市湿地面积等于秀英区、龙华区、琼山区和美兰区之和。

4　湖泊湿地

4.1　湖泊各湿地型及面积

湖泊是湖盆、湖水、水中所含物质(矿物质、溶解质、有机质以及水生生物等)组成的自然综合体。湖泊湿地主要包括永久性淡水湖、季节性淡水湖、永久性咸水湖、季节性咸水湖等。根据本次调查界定标准，海南境内湖泊均为永久性淡水湖，且海南的湖泊湿地发育并不典型，分布范围小，数量少。

据调查统计，面积≥8 公顷的永久性淡水湖有 26 个，总面积仅为 556. 91 公顷，占海南湿地总面积的 0. 18%。统计不同面积永久性淡水湖的数量分布(图 2-16)。

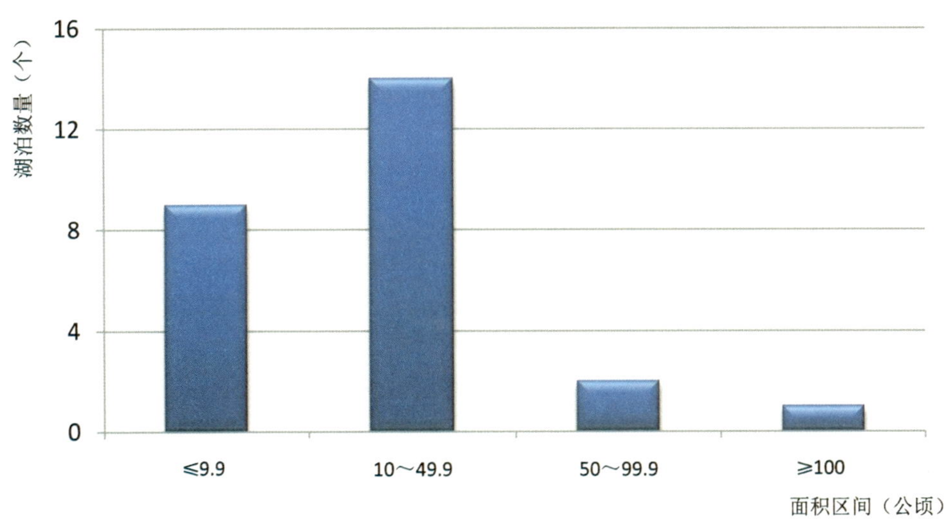

图 **2-16**　不同湿地面积区间的淡水湖数量分布

可见海南发育的永久淡水湖面积较小，有 23 个淡水湖的面积皆小于 50 公顷，占海南淡水湖数量的 88. 46%；而面积大于 50 公顷的仅有 3 个，占海南淡水湖数量的 11. 54%。其中位于龙华区零星湿地区的长钦湖是面积最大的永久性淡水湖，面积为 105. 43 公顷，占湖泊湿地面积的 15.66%。

4.2 各流域的湿地型及面积

海南湖泊湿地只涉及珠江区的海南岛三级流域，滨海湿地流域内并无永久性淡水湖的分布。

4.3 各湿地区的湿地型及面积

永久性淡水湖湿地主要分布在沿海为丘陵或台地的湿地区内，超过 98% 的永久性淡水湖湿地都分布在沿海的市县内。

统计各湿地区永久性淡水湖的分布情况(图 2-17)，海口市的龙华区零星湿地区分布有最大的永久性淡水湖湿地，面积为 142.18 公顷，占永久性淡水湖湿地面积的 25.53%；儋州市零星湿地区的永久性淡水湖面积位居第二，面积为 126.49 公顷，占永久性淡水湖湿地总面积的 22.71%；乐东县零星湿地区有永久性淡水湖湿地面积 82.76 公顷，占永久性淡水湖湿地面积的 14.86%，为第三大的永久性淡水湖分布湿地区。

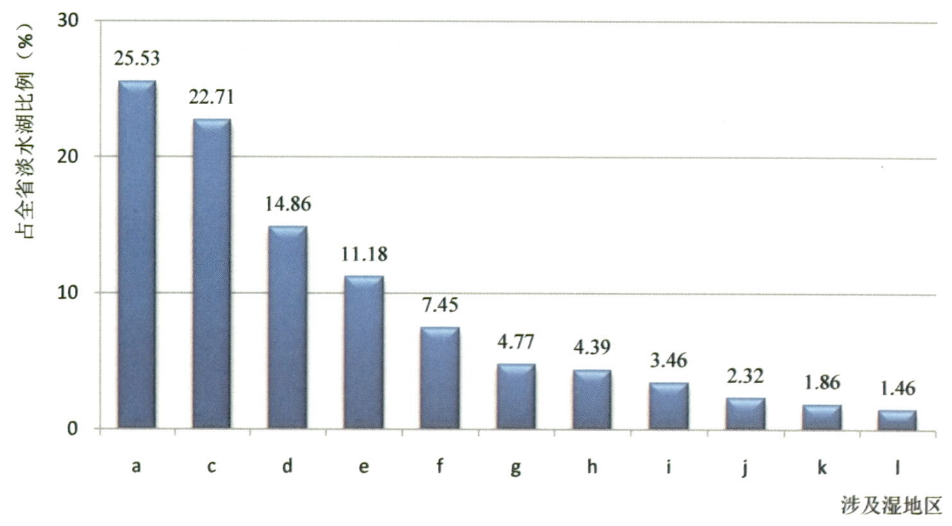

图 **2-17** 各湿地区永久性淡水湖湿地分布图

注：a = 龙华区零星湿地区；c = 儋州市零星湿地区；d = 乐东县零星湿地区；e = 琼海市零星湿地区；f = 陵水县零星湿地区；g = 东方市零星湿地区；h = 美兰区零星湿地区；i = 文昌市零星湿地区；j = 三亚市零星湿地区；k = 万宁市零星湿地区；l = 保亭县零星湿地区。

4.4 各行政区的湿地型及面积

海南湖泊湿地涉及的市县共有 10 个(表 2-13)，分别是海口、三亚、琼海、儋州、文昌、万宁、东方、乐东、陵水和保亭(图 2-18)。

其中海口市分布的永久性淡水湖湿地面积最大，为 166.61 公顷，占总面积的 29.92%；其次为儋州市，面积 126.49 公顷，占永久性淡水湖湿地面积的 22.71%；乐东县的永久性淡水湖湿地面积为 82.76 公顷，占永久性淡水湖湿地面积的 14.86%(图 2-18)。

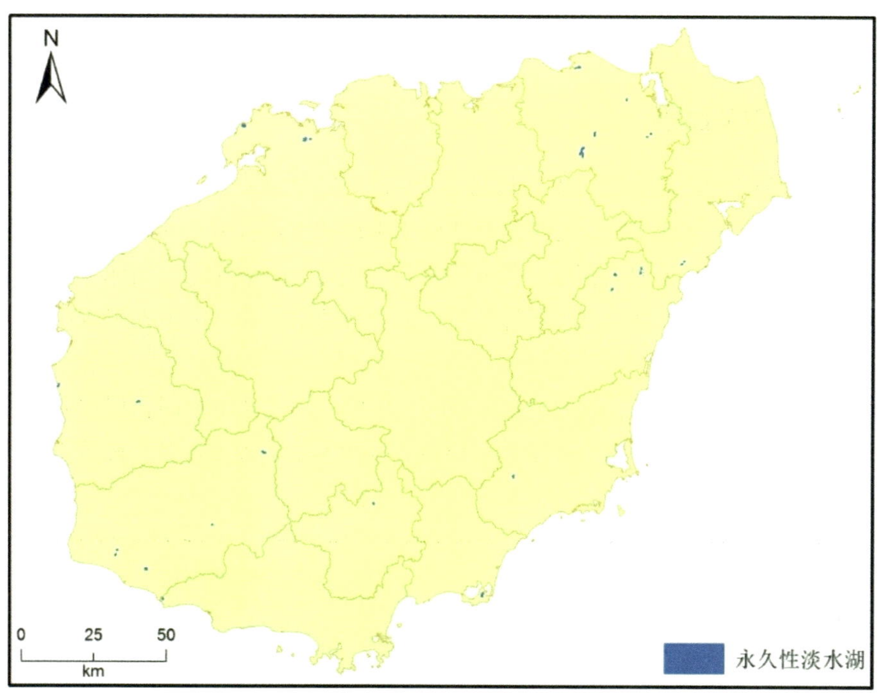

图 2-18　海南岛永久性淡水湖分布图

表 2-13　各市县永久性淡水湖湿地面积概况表(公顷)

序　号	县级行政区	湖泊湿地
面积合计		556.91
1	海口市 *	166.61
	龙华区	142.18
	美兰区	24.43
2	三亚市	12.91
3	琼海市	62.27
4	儋州市	126.49
5	文昌市	19.28
6	万宁市	10.36
7	东方市	26.59
8	乐东县	82.76
9	陵水县	41.5
10	保亭县	8.14

* 海口市湿地面积等于龙华区、琼山区和美兰区三个区的湿地面积总和。

5 沼泽湿地

5.1 沼泽各湿地型及面积

沼泽湿地是一种特殊的自然综合体，凡同时具有以下三个特征的湿地均视为沼泽湿地：①受淡水或咸水、盐水的影响，地表经常过湿或有薄层积水；②生长有沼生和部分湿生、水生或盐生植物；③有泥炭积累，或虽无泥炭积累，但土壤层中具有明显的潜育层。根据界定标准和要求，海南沼泽湿地型有草本沼泽1种。其界定标准是：由水生和沼生的草本植物组成优势群落的淡水沼泽。

海南有沼泽湿地43.68公顷，占湿地总面积的0.01%，均为草本沼泽，仅在万宁市乐山村和昌江县打根塘两处有记录(图2-19)，主要以三俭草、硕大薰草、华三芒草、梭鱼草、李氏禾、野芋等为优势草本物种。

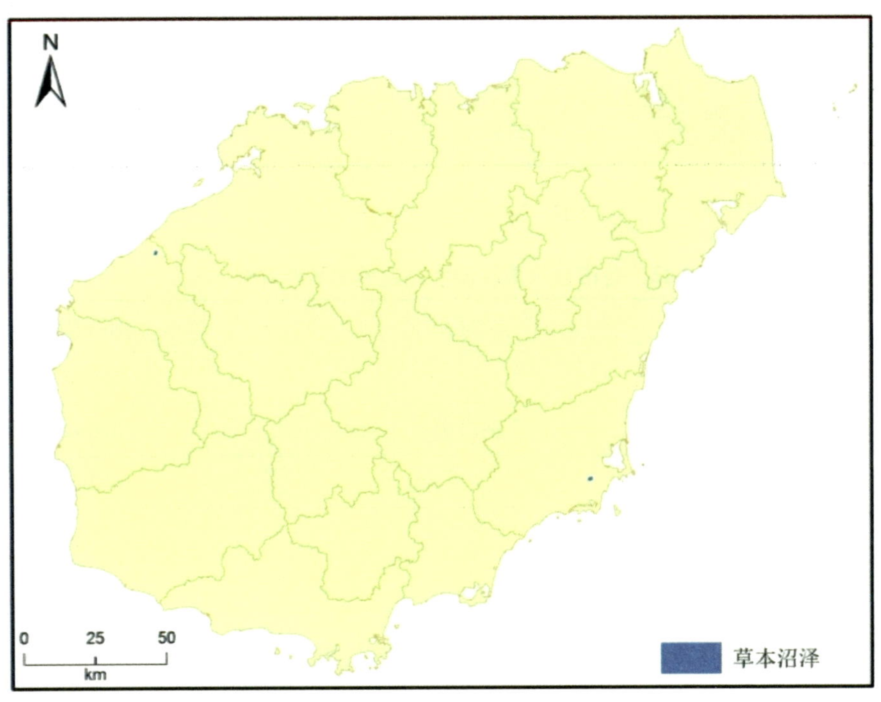

图2-19 海南岛草本沼泽分布图

此外，海南岛还记录有灌丛沼泽、森林沼泽、地热湿地、淡水泉等4型湿地，但分布零散，面积未达到起调标准。灌丛沼泽和森林沼泽主要分布在海南岛的山地中，且为季节性的湿地，在雨季中形成典型的沼泽湿地，而在旱季则无积水，其在中部山地的自然保护区内有记录。地热湿地主要散布在保亭、琼海、儋州和海口一带，但出露的面积不大。淡水泉在定安有一处分布记录，面积未达到本次调查标准。故对这4型湿地未纳入本次调查数据统计中。

5.2 各流域的湿地型及面积

海南的沼泽湿地皆分布在珠江区下的海南岛三级流域内。

5.3 各湿地区的湿地型及面积

记录的两处沼泽湿地皆分布在零星湿地区内，分别是万宁市零星湿地区，面积为27.04公顷，占61.9%；另一处分布在昌江县零星湿地区，面积为16.64公顷，占38.1%。

5.4 各行政区的湿地型及面积

在万宁市和昌江县分布有沼泽湿地，其中万宁市内分布有27.04公顷；在昌江县分布有16.64公顷。

6 人工湿地

6.1 人工各湿地型及面积

人工湿地包括面积不小于8公顷的库塘、运河(输水河)、水产养殖场、水稻田和盐田等，其中，水稻田不列入调查范围，实际调查对象为库塘、运河/输水河、水产养殖场、盐田4种类型。

据调查统计，海南人工湿地总面积为7.80万公顷，占全省湿地的24.38%。共有库塘、运河/输水河、水产养殖场和盐田4种类型，面积分别为5.67万公顷、0.08万公顷、1.56万公顷、0.49万公顷，分别占人工湿地总面积的72.74%、1.08%、19.95%、6.23%(图2-20)。

此外，海南省还有丰富的水稻田湿地资源，共计17.6万公顷(海南省年鉴，2012)。

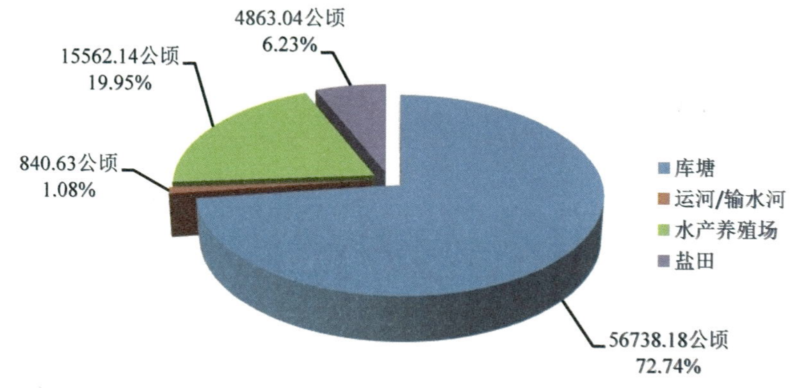

图 **2-20** 海南人工湿地型比例构成图

6.1.1 库 塘

库塘包括以蓄水、发电、农业灌溉、城市景观、农村生活为主要目的而建造的，面积不小于8公顷的蓄水区。

海南库塘密集，大多分布于丘陵、山地(图2-21，图2-22)，总面积为5.67万公顷，占全海南岛人工湿地总面积的72.74%，是海南主要的人工湿地。海南面积大于1000公顷的水库共有4座，其中松涛水库面积最大，达到11625.3公顷；其次是大广坝水库，面积为6607.09公顷；第三是牛路岭水库，面积为1947.26公顷；第四是万宁水库，面积为1276.73公顷。

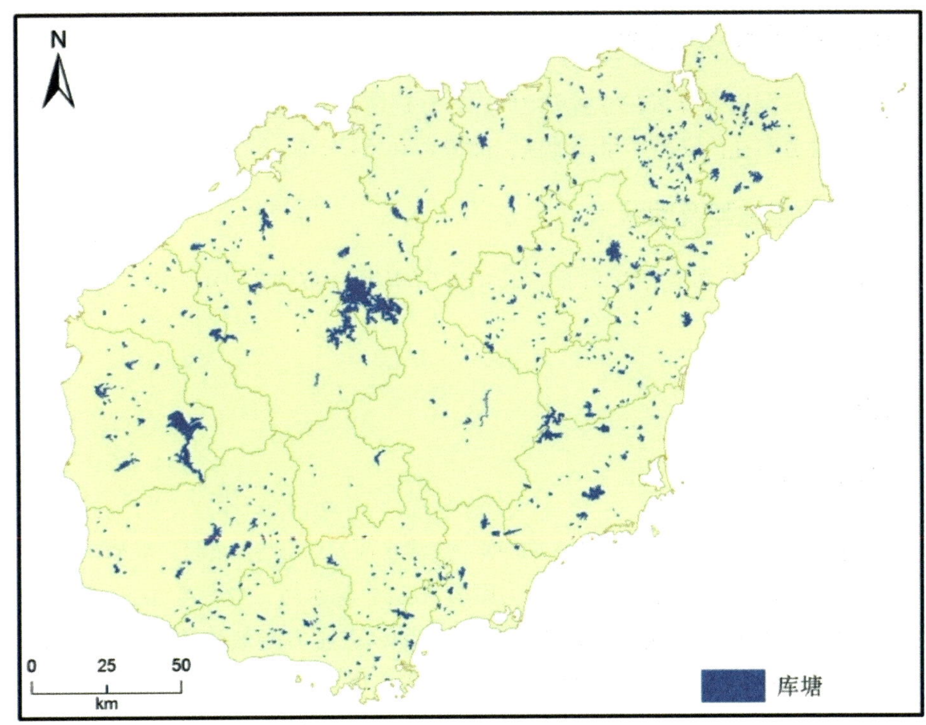

图 2-21 海南岛库塘湿地分布图

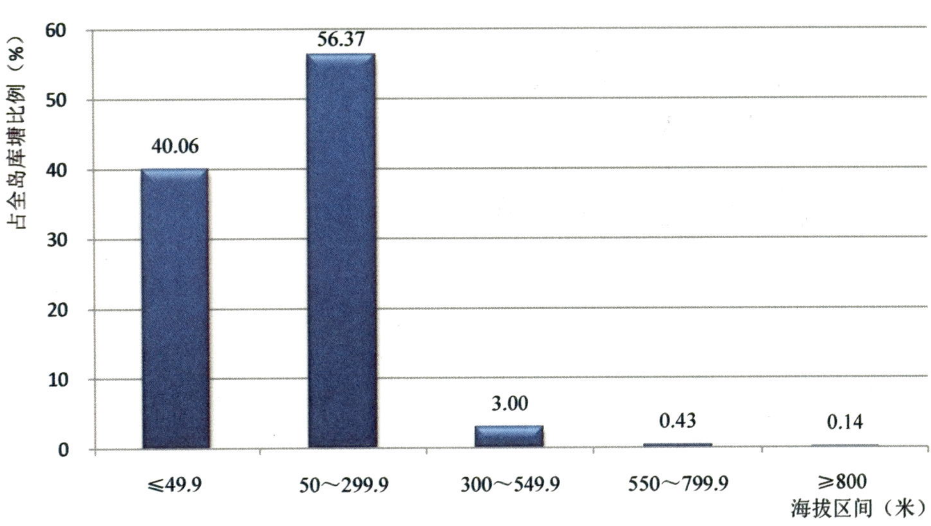

图 2-22 海南岛库塘海拔分布图

6.1.2 运河/输水河

运河、输水河包括为输水或水运而建造的人工河流湿地，包括灌溉为主要目的的沟、渠。海南分布有运河/输水河湿地 840.63 公顷，占全省(海南岛)人工湿地总面积的 1.08%。其中松涛水库的东干渠是最大的运河/输水河湿地(图 2-23)，面积达到 281.24 公顷，占运河、输水河湿地面积的 33.46%。

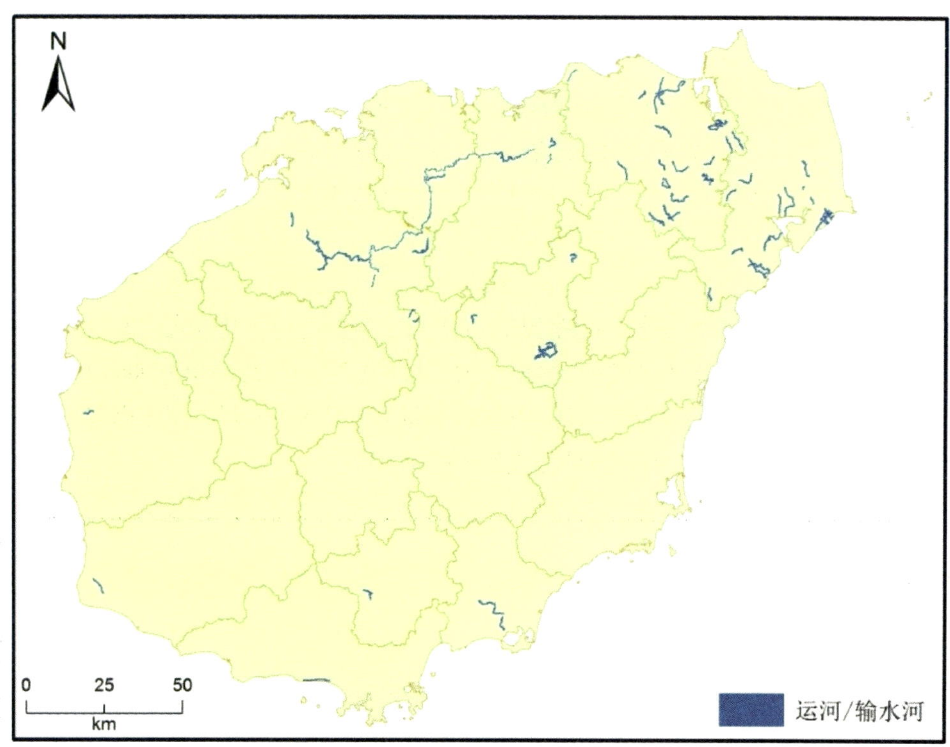

图 **2-23** 海南岛运河/输水河分布图

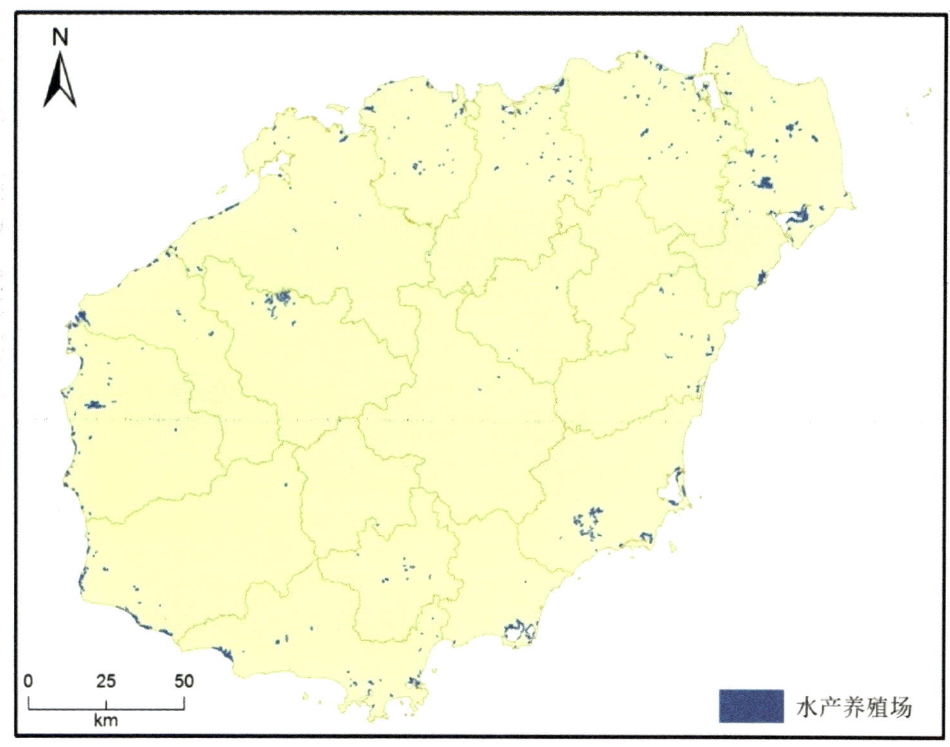

图 **2-24** 海南岛水产养殖场分布图

6.1.3 水产养殖场

水产养殖场是指以水产养殖为主要目的而修建的人工湿地。该类型湿地主要分布在沿海地区，总面积达到15562.14公顷，占全省(海南岛)人工湿地总面积的19.95%。海南的水产养殖场广泛分布在各沿海地区(图2-24)，多由周边群众开发、围垦滩涂、挖塘、围塘用于养殖鱼虾等水产品。水产养殖场的过度开发，不单对沿海滩涂、红树林造成直接的破坏，其排放污水更是水体富营养化的重要诱因。

6.1.4 盐 田

盐田是指为获取盐业资源而修建的晒盐场所或盐池，包括盐池、盐水泉。海南的盐田主要分布在乐东、三亚、东方、儋州和临高等市县的沿海区域(图2-25)，总面积为4863.04公顷，占全省(海南岛)人工湿地总面积的6.23%。其中乐东的莺歌海是传统的盐场，至今仍进行盐业的生产工作，其面积达3241.44公顷，占盐田湿地总面积的66.65%。

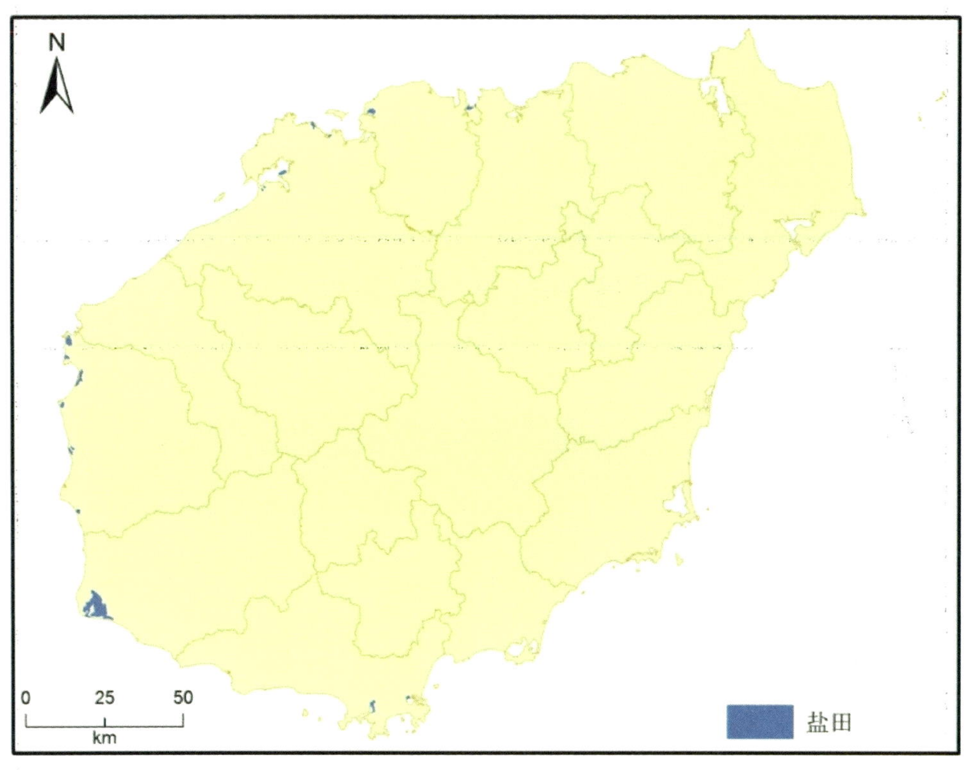

图2-25 海南岛盐田分布图

6.2 各流域的湿地型及面积

按流域分类将海南人工湿地进行分类汇总(表2-14)，海南岛三级流域中人工湿地总面积为7.80万公顷，其中库塘面积5.67万公顷、运河/输水河面积0.08万公顷、水产养殖场面积1.32万公顷、盐田面积0.46万公顷。滨海湿地三级流域中人工湿地总面积为0.26万公顷，其中水产养殖场0.24万公顷、盐田面积0.028万公顷。

表 2-14　各流域中人工湿地面积概况表(公顷)

一级流域	二级流域	三级流域	库　塘	运河/输水河	水产养殖场	盐　田	合　计
珠江区	海南岛及南海各岛诸河	海南岛	56738.18	840.63	13204.80	4579.36	75362.97
滨海湿地	滨海湿地	滨海湿地			2357.34	283.68	2641.02
合　计			56738.18	840.63	15562.14	4863.04	78003.99

6.3 各湿地区的湿地型及面积

海南人工湿地所涉及的湿地区共计29个(表2-15)，其中独立区划的湿地区共计8个，人工湿地面积为1.40万公顷，占海南人工湿地总面积的18.04%；零星湿地区为29个，人工湿地面积为6.39万公顷，占海南人工湿地总面积的81.96%。

表 2-15　各湿地区人工湿地分布概况(公顷)

序号	湿地区名称	库　塘	运河/输水河	水产养殖场	盐　田	合　计
独立湿地区		11733.82		1885.68	456.85	14076.35
1	鹦哥岭独立湿地区	17.64				17.64
2	松涛水库独立湿地区	11625.30				11625.30
3	洋浦港独立湿地区			44.81	197.76	242.57
4	清澜港独立湿地区			294.42		294.42
5	尖峰岭独立湿地区	46.95				46.95
6	黎母山独立湿地区	43.93				43.93
7	东海岸独立湿地区			822.62	173.17	995.79
8	西海岸独立湿地区			723.83	85.92	809.75
零星湿地区		45004.36	840.63	13676.46	4406.19	63927.64
9	秀英区零星湿地区	603.33	15.85	8.65		627.83
10	龙华区零星湿地区	248.45	10.70	79.79		338.94
11	琼山区零星湿地区	735.44	74.07	809.50		1619.01
12	美兰区零星湿地区	2051.88	97.25	263.29		2412.42
13	三亚市零星湿地区	2471.57	13.17	1035.00	59.66	3579.40
14	五指山市零星湿地区	276.13		9.20		285.33
15	琼海市零星湿地区	3240.12		334.22		3574.34
16	儋州市零星湿地区	2718.18	207.83	705.47	19.66	3651.14
17	文昌市零星湿地区	4287.33	124.64	3760.80		8172.77
18	万宁市零星湿地区	4013.57		1521.83		5535.40

（续）

序号	湿地区名称	库 塘	运河/输水河	水产养殖场	盐 田	合 计
19	东方市零星湿地区	8482. 16	4. 60	1307. 61	761. 78	10556. 15
20	定安县零星湿地区	2338. 31				2338. 31
21	屯昌县零星湿地区	1401. 95	57. 45	30. 76		1490. 16
22	澄迈县零星湿地区	1909. 32	74. 24	852. 67	11. 71	2847. 94
23	临高县零星湿地区	1427. 54	127. 05	718. 89	311. 94	2585. 42
24	白沙县零星湿地区	1134. 37		449. 62		1583. 99
25	昌江县零星湿地区	1224. 78		319. 23		1544. 01
26	乐东县零星湿地区	3358. 58	7. 06	1233. 34	3241. 44	7840. 42
27	陵水县零星湿地区	1415. 97	19. 87	92. 59		1528. 43
28	保亭县零星湿地区	858. 22	6. 85	124. 40		989. 47
29	琼中县零星湿地区	807. 16		19. 60		826. 76
合 计		56738. 18	840. 63	15562. 14	4863. 04	78003. 99

独立区划的湿地区中，人工湿地面积最大的湿地区是松涛水库独立湿地区，面积为 1. 16 万公顷，主要是库塘湿地；第二位的是东海岸独立湿地区，面积为 0. 1 万公顷，主要为水产养殖场；第三位的是西海岸独立湿地区，面积为 0. 081 万公顷，主要是水产养殖场，还有少量的盐田。分布在零星湿地区的人工湿地中，东方市零星湿地区面积最大，为 1. 06 万公顷，主要是库塘和水产养殖场；其次为文昌市零星湿地区，为 0. 82 万公顷，主要是库塘和水产养殖场，有少量的运河/输水河，其中水产养殖场面积占了该市 45% 以上的人工湿地；第三为乐东县零星湿地区，为 0. 78 万公顷，主要是库塘、盐田，其中盐田的面积是全省各湿地区中最大的。

6. 4 各行政区的湿地型及面积

统计各行政区的人工湿地分布，人工湿地面积最大的是儋州市，面积为 1. 38 万公顷，占全省同类湿地面积的 17. 75%；其次是东方市，面积为 1. 08 万公顷，占全省同类湿地面积的 13. 88%；第三是文昌市面积为 0. 85 万公顷，占全省同类湿地面积的 10. 85%（图 2-26）。

涉及库塘湿地的市县中，儋州市、东方市和文昌市的库塘湿地面积位列前三位，面积分别为 1. 26 万公顷、0. 85 万公顷、0. 43 万公顷，分别占库塘湿地总面积的 22. 14%、14. 95%、7. 56%；分布有运河/输水河湿地面积前三位的市县分别是儋州市、海口市和临高县，面积分别为 0. 020 万公顷、0. 019 万公顷、0. 013 万公顷，分别占运河/输水河湿地总面积的 24. 72%、23. 54%、15. 11%；水产养殖场湿地最多的三个市县分别是文昌市、东方市和万宁市，面积分别为 0. 41 万公顷、0. 16 万公顷、0. 15 万公顷，分别占水产养殖场湿地总面积的 26. 06%、10. 15%、9. 78%；涉及盐田湿地的市县中，乐东县、东方市和临高县的盐田湿地面积位列前三，面积分别为 0. 32 万公顷、0. 076 万公顷、0. 031 万公顷，分别占盐田湿地总面积的 66. 65%、15. 66%、6. 41%（表 2-16）。

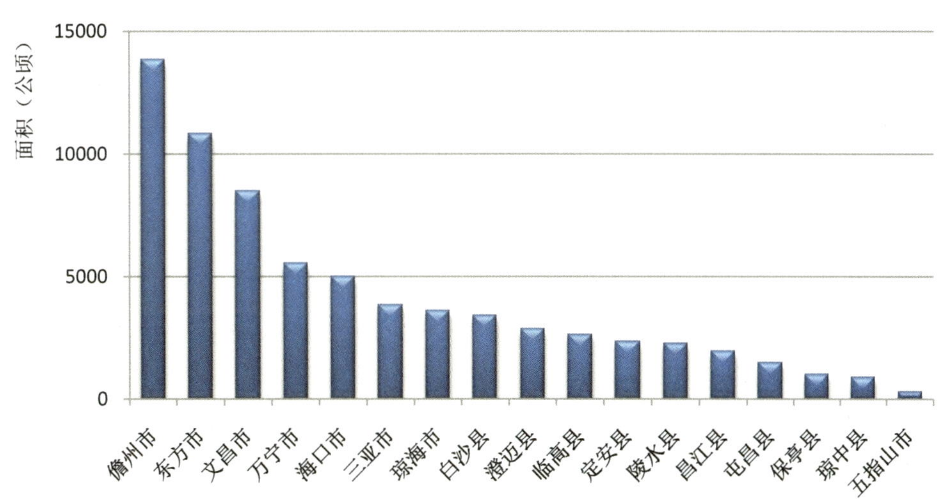

图 **2-26**　各市县人工湿地面积分布概况

表 2-16　各市县人工湿地分布概况(公顷)

序号	湿地型 行政区	库　塘	运河/输水河	水产养殖场	盐　田	合　计
1	海口市*	3639.10	197.87	1161.23		4998.20
	秀英区	603.33	15.85	8.65		627.83
	龙华区	248.45	10.7	79.79		338.94
	琼山区	735.44	74.07	809.5		1619.01
	美兰区	2051.88	97.25	263.29		2412.42
2	三亚市	2471.57	13.17	1124.22	232.83	3841.79
3	五指山市	276.13		9.2		285.33
4	琼海市	3240.12		334.22		3574.34
5	儋州市	12562.26	207.83	773.65	303.34	13847.08
6	文昌市	4287.33	124.64	4055.22		8467.19
7	万宁市	4013.57		1521.83		5535.40
8	东方市	8482.16	4.60	1579.46	761.78	10828.00
9	定安县	2338.31				2338.31
10	屯昌县	1401.95	57.45	30.76		1490.16
11	澄迈县	1909.32	74.24	852.67	11.71	2847.94
12	临高县	1427.54	127.05	761.99	311.94	2628.52
13	白沙县	2933.23		449.62		3382.85
14	昌江县	1224.78		704.74		1929.52
15	乐东县	3405.53	7.06	1233.34	3241.44	7887.37
16	陵水县	1415.97	19.87	825.99		2261.83
17	保亭县	858.22	6.85	124.40		989.47
18	琼中县	851.09		19.60		870.69
合　计		56738.18	840.63	15562.14	4863.04	78003.99

＊海口市湿地面积为秀英区、龙华区、琼山区和美兰区 4 个区的湿地面积总和。

第二节
湿地的分布规律

1 湿地特点

由于本次调查在三沙市成立之前已启动并开展，调查方案中未将现今三沙市行政范围纳入本次调查，也未开展野外现地调查。故本节讨论的湿地特点和分布规律主要针对海南岛湿地资源。

海南岛四面环海，发育了丰富多样的近海与海岸湿地，是海南湿地资源中重要的组成部分，也是面积最大的湿地类型。海南岛囊括台地、丘陵、低山和中山等地貌类型，是典型的海洋季风气候，由于中部山地阻隔和各种地形的影响，形成多样的小气候。地质地貌和气候特征孕育了海南岛特点鲜明、类型丰富的湿地资源。

1.1 湿地类型湿地多样，自然湿地比重大，类型分布不均

海南省(海南岛)湿地类型丰富，符合起调标准的有5大类18个湿地型，分别占《全国湿地资源调查技术规程(试行)》中湿地分类对应类型的100%和52.9%。海南岛湿地总面积为32.00万公顷(水稻田未列入统计)，其中自然湿地面积为24.20万公顷，占海南湿地总面积的75.63%；人工湿地面积为7.80万公顷，占海南湿地总面积的24.37%。

海南岛湿地分布广泛但不同类型湿地分布不均匀。海南岛地形中高周低，河流大多起源于中部山区，河网密布。但近海与海岸湿地主要分布在沿海区域，各个沿海市县皆有近海与海岸湿地的分布。人工湿地中面积最大的是库塘，占人工湿地的72.77%，分布在各个市县；水产养殖场则主要分布在沿海台地，利用程度高而密集；由于海南岛东西部气候的差异，西部干热气候是人们晒盐的良好气候特征，盐田湿地只见于海南岛西部地区沿海，其中海南岛最大的莺歌海盐田也就分布在海南岛西部的乐东县。湖泊湿地和沼泽湿地在海南湿地中发育并不典型，只零星分布在少数地区。

1.2 近海与海岸湿地面积大、类型多，典型热带特点

近海与海岸湿地面积为20.17万公顷，占海南湿地总面积的63.02%，囊括了浅海水域、潮下水生层、珊瑚礁、岩石海岸、沙石海滩、淤泥质海滩、红树林、河口水域、三角洲/沙洲/沙岛、海岸性咸水湖等10种湿地型。

浅海水域面积最大，占近海与海岸湿地的71.75%，该类型湿地环绕海南岛一周皆有分布，西海岸坡降较东海岸缓，其-6米至低潮线的区域较大，浅海水域面积较东海岸大。红树林湿地分布广，连片面积较大的红树林湿地主要集中分布在一些港湾内，如东寨港、清澜港、洋浦港、新村港、黎安港等区域，其他沿海区域零星分布有大量红树林湿地，未达到8公顷起调标准，未纳入本次调查统计数据中。根据本次调查，连片面积较大海草分布主要分布在陵水新村港、黎安港，文昌椰林湾和海口东寨港内，这些区域也是历史上记录有海草分布的区域(王道儒等，2012；

黄小平等，2007），其中新村港和黎安港内的海草床是海南岛现今海草种类最多、连片面积最大的海草床，具有重要的生态价值和科研价值。珊瑚礁湿地面积占海南湿地总面积的1.65%，主要分布在以文昌至琼海、儋州至临高及三亚等岸段。

海南岛地处热带—亚热带区域，近海与海岸湿地中的红树林、海草和珊瑚礁具有典型的热带特点，是我国不可多得的湿地资源。其中仅在海南岛分布的水椰和红榄李是典型的热带红树物种，且集中分布在海南岛东南沿海一带。万宁青皮林保护区内分布有较大面积的水椰单优集群，往北区域只零星、间断分布有水椰，并不见成片水椰集群；红榄李在海南天然分布区仅在陵水和三亚一带，而且种群数量稀少，可以认为是该物种分布的北缘。海草床是潮下水生层湿地的典型代表。海南岛属于热带海洋季风气候，拥有众多的泻湖、港湾、河口，适宜的环境为海草生长繁衍提供优越条件。海南岛沿岸海域拥有丰富海草资源，其中海菖蒲、泰来藻、海神草是海南海草床中主要的组成物种（王道儒等，2012），这些物种主要生于热带—亚热带浅海沙质海滩上（中国植物志编委，2004）。珊瑚礁湿地也是典型的热带湿地资源，在海南多处水域都有珊瑚礁湿地的分布，且海南是我国记录珊瑚物种数量最多的省份之一。

1.3　人工湿地众多，库塘密布，养殖集中沿海

海南岛人工湿地7.80万公顷，占湿地总面积的24.38%。库塘面积为5.67万公顷，密布于各市县，大多分布于丘陵、山地，占全岛人工湿地总面积的72.77%，是海南主要的人工湿地。库塘密布与海南水资源的短缺密切相关，由于海南岛河川径流的补给主要来自大气降水，海南湿旱两季明显，且河流短小、坡降大，降雨流入大海的速度较快，许多地方人们修建水库截流淡水资源用于生产生活。

海南的养殖业非常发达，多集中于滨海地区，水产养殖场面积1.56万公顷，占人工湿地面积的19.96%。其中文昌市、儋州市的海水养殖业发展迅速，且还有增长趋势。

1.4　河流湿地多，河网密布，面积较小

海南的河流多而短小，呈放射状水系，独立入海的河流有154条，河网遍布全省各地。南渡江、万泉河和昌化江的流域面积最大，号称为海南三大河。永久性河流面积为3.49万公顷，占湿地总面积的10.92%。

1.5　湿地的土地权属特点

海南湿地土地权属分为国有和集体，其中国有权属湿地面积30.55万公顷，占湿地总面积95.46%；集体湿地1.45万公顷，占湿地总面积4.54%（表2-17）。自然湿地以国有权属为主，其中只有部分永久性淡水湖为集体权属。人工湿地中有较大面积的集体权属湿地，占人工湿地总面积的18.33%，主要为库塘、水产养殖场，两者分别有0.54万公顷和0.87万公顷湿地为集体权属湿地。

表 2-17 湿地类型的权属表（公顷）

湿地类型	国 有	集 体	总 计	国有权属湿地占湿地总面积比例(%)
近海与海岸湿地	201666.76		201666.76	63.02
浅海水域	144695.05		144695.05	45.21
潮下水生层	502.55		502.55	0.16
珊瑚礁	5283.36		5283.36	1.65
岩石海岸	4355.27		4355.27	1.36
沙石海滩	26405.51		26405.51	8.25
淤泥质海滩	992.55		992.55	0.31
红树林	4736.05		4736.05	1.48
河口水域	6969.28		6969.28	2.18
三角洲/沙洲/沙岛	22.82		22.82	0.01
海岸性咸水湖	7704.32		7704.32	2.41
河流湿地	39755.05		39755.05	12.42
永久性河流	35108.59		35108.59	10.97
洪泛平原湿地	4646.46		4646.46	1.45
湖泊湿地	322.63	234.28	556.91	0.10
永久性淡水湖	322.63	234.28	556.91	0.10
沼泽湿地	43.68		43.68	0.01
草本沼泽	43.68		43.68	0.01
人工湿地	63698.12	14305.87	78003.99	19.90
库塘	51387.30	5350.88	56738.18	16.06
运河/输水河	840.63		840.63	0.26
水产养殖场	6869.10	8693.04	15562.14	2.15
盐田	4601.09	261.95	4863.04	1.44
总 计	305486.24	14540.15	320026.39	95.46

1.6 湿地水源补给状况特点

海南湿地水源补给皆属于综合补给，大气降水是海南湿地的主要水源补给的来源，此外由于海南降水量丰富，地表径流发达，小溪小河众多，所有自然湿地都是大气降水和地表径流这两种类型水源的综合补给。人工湿地中部分主要是人工补给为主，类似运河输水河、水产养殖场、盐田的水源大多由人工补给为主，另外还有少量水源是通过地表径流和大气降水补给的，也属于综合补给类型。

1.7 水资源东西差异大

海南水资源主要由台风雨补充。由于海南岛自然地理和气候特点，自东而西的季风受到山地的阻隔，难以到达海南岛的西部地区，造成西部地区降水量比东部少，岛上水资源分布不均，东西差异巨大。

水资源的差异直接影响了海南岛上湿地资源分布和发育过程，如盐田只分布在海南干热的西海岸。

1.8 湿地生态功能显著、生态价值巨大

湿地的功能是指湿地实际支持或潜在支持和保护自然生态系统与生态过程，以及支持和保护人类活动与生命财产的能力。海南作为一个岛屿省份，湿地对于维持整个海南岛屿生态系统发挥了重要的功能。

湿地为人们提供了动植物产品等食品，如水稻、鱼虾等经济物种；湿地还具有重要的休闲和旅游价值，如南丽湖国家湿地公园、三亚大东海、三亚天涯海角等都是人们休闲旅游的胜地，为人们提供欣赏湿地景观，享受自然的良好场所。此外，湿地还间接发挥了物种保护价值和生态保护价值，如东方四必湾的红树林湿地是国际珍稀濒危鸟类黑脸琵鹭重要的栖息地、越冬地，为保护研究该物种提供了重要的场所；另外海南沿海的红树林、岩石海岸，为保持水土，防风抗灾发挥了重要的作用。

2 湿地分布规律

2.1 自然湿地分布规律

将全岛划分为若干个4平方公里网格，统计各网格自然湿地率，通过GIS空间分析模块得到海南岛自然湿地分布图(图2-27)。将海南岛划分为东北、东南、西南和西北四个部分，海南岛自然湿地分布呈现“东多西少”、在东侧呈“北多南少”的分布特点，呈顺时针逐渐递减的趋势。其中东北部自然湿地分布最多。

2.2 人工湿地分布规律

海南作为我国主要的海洋大省，其水产养殖业极为发达，2011年总产值204.58亿元，占全省GDP的8.1%，水产养殖场是海南岛极为重要的人工湿地组成部分。海南岛水产养殖场主要分布在海南岛沿海一带，在岛东部地区水产养殖场从台地区域到近海陆缘、潮间带、近海海区都有分布；在岛西部地区较为集中在沿海。与自然湿地的分布趋势类似，海南岛东北部的水产养殖场分布最多，并呈顺时针逐渐递减的趋势(图2-28)。

2.3 影响湿地分布的主要因子

湿地是一种有地带性烙印的非地带性自然生态系统。已有的相关研究表明，地貌是湿地形成、发育的基础条件，气候是湿地空间分布的重要控制因素(吕宪国，2004；刘吉平等，2005；李

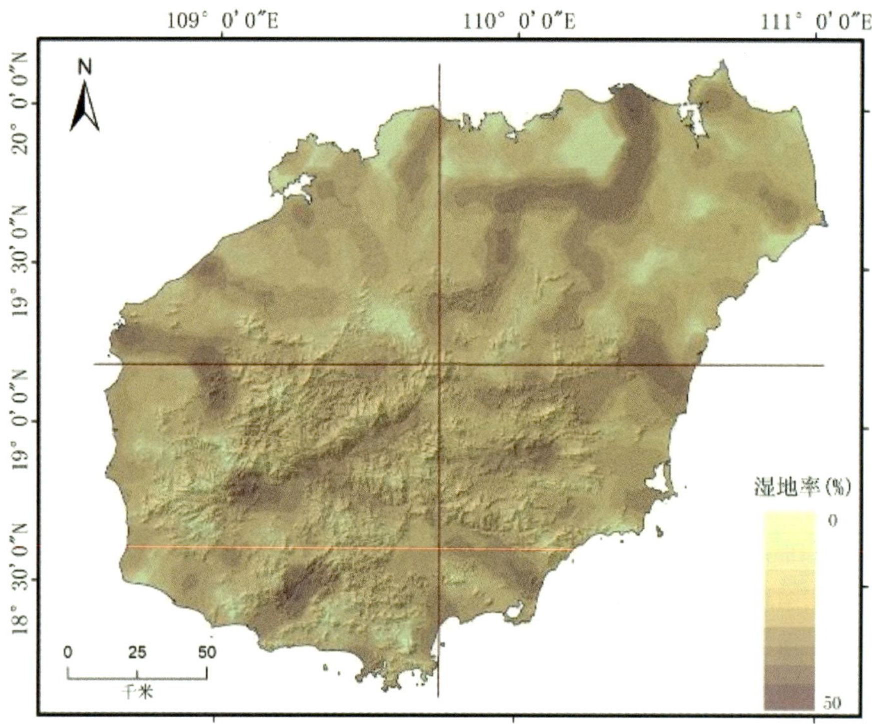

图 **2-27**　海南岛自然湿地分布图

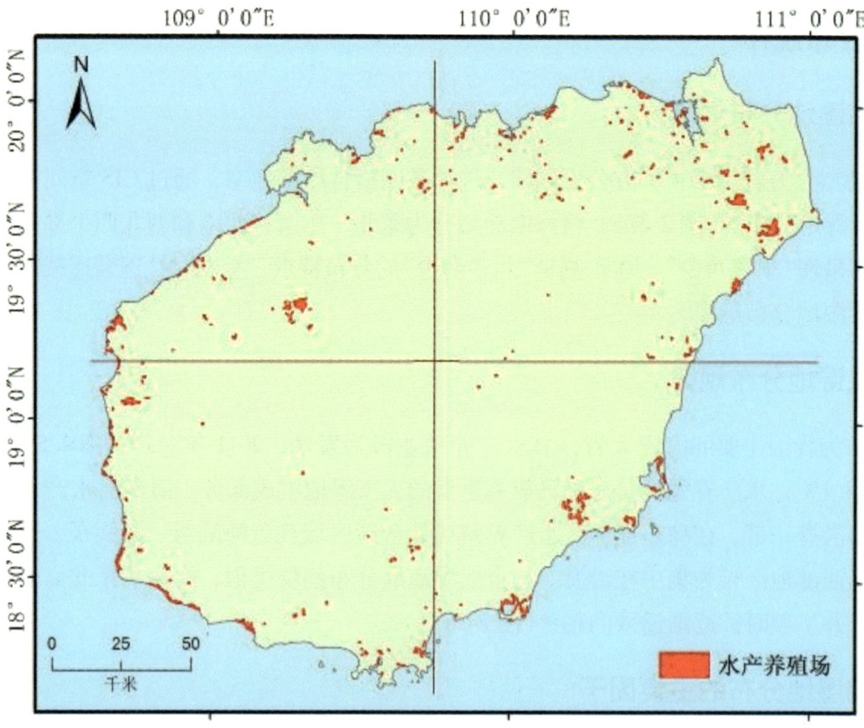

图 **2-28**　海南岛人工湿地分布图

凤娟，2010）。单位面积内的湿地比率为湿地率，将湿地不规则的空间分布在GIS平台上换算成湿地率能有效地分析各生态环境因子对湿地发育的综合作用(北海道开发局，1987）。

根据海南岛湿地调查结果和多项自然环境及人类社会环境数据，在GIS平台上进行主成分、多元回归、典型相关等分析，建立随机森林模型等，分析自然湿地和人工湿地的分布规律。

结果显示，地形地貌是影响自然湿地分布的主要因子，其物理特性直接影响海南岛自然湿地的分布。海南岛的降水主要来源于台风雨，海南岛独特的地形地貌对台风起着阻挡和调节等作用，使得岛屿东西部气候差异明显，且在地形地貌的叠加效应下，气候环境的差异进一步影响海南岛自然湿地分布。可以说，地貌是海南岛自然湿地形成的基础条件，是影响自然湿地分布最重要的环境因子。

海拔和经度等是影响水产养殖场分布的主要自然环境因子，分布海南岛东部尤其是东北部台地的水产养殖场要显得更为密集，规模更大(图2-29A)；在海南岛的沿海地区，是海南岛经济发展程度最高的地区，GDP、生态足迹和人口密度等均要高于海南岛内陆区域(图2-29B，图2-29C)，而活跃的人类社会经济活动带动了当地水产养殖业等产业的快速发展，形成了海南岛水产养殖场的这种分布格局。因此，海拔等自然因子的影响实际上是社会经济因子影响的一个反映，而GDP等社会经济因子是影响海南岛水产养殖场分布的最主要的因子。

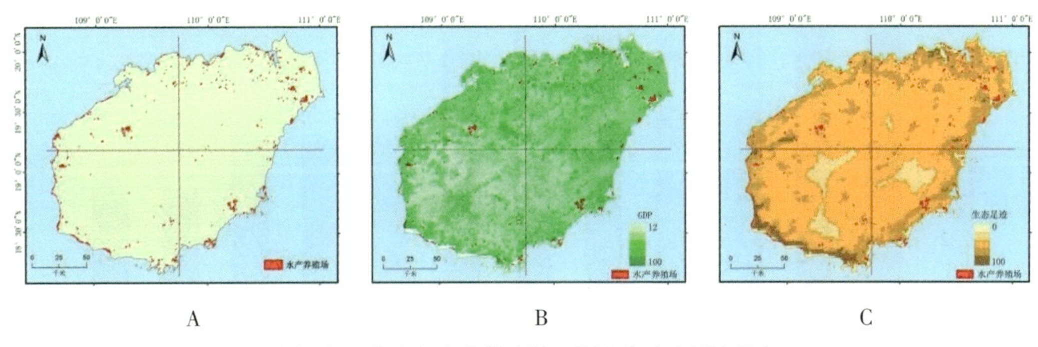

图2-29　海南岛水产养殖场、GDP和生态足迹分布

2.4　湿地在各市县的分布规律

统计各市县涉及的湿地类型数量及面积(表2-18)，其中万宁市分布有最多湿地类，囊括全部5类湿地类；而儋州虽只分布有4类湿地类，却是全岛拥有最多湿地型的市县，共有14型湿地型；其次为文昌市和乐东县，皆分布有13型湿地型(图2-30)。

除内陆的五指山、屯昌、定安、琼中、白沙、保亭等6个市县外，其余的12个市县皆分布有近海与海岸湿地。其中儋州市和文昌市分别分布有该类湿地下的7个湿地型，是湿地型最多的2个市县(图2-31)。

河流湿地在全省各市县均有分布，在南渡江、昌化江和万泉河流域范围的市县河流湿地面积较大。湖泊湿地分布在海口市、三亚市、琼海市、儋州市、文昌市、万宁市、东方市、乐东县、陵水县和保亭县等10个市县。沼泽湿地仅零散分布在万宁市和昌江市2个市县。

人工湿地在全省各市县均有分布，其中库塘湿地在全岛18个市县皆有分布，其主要分布在

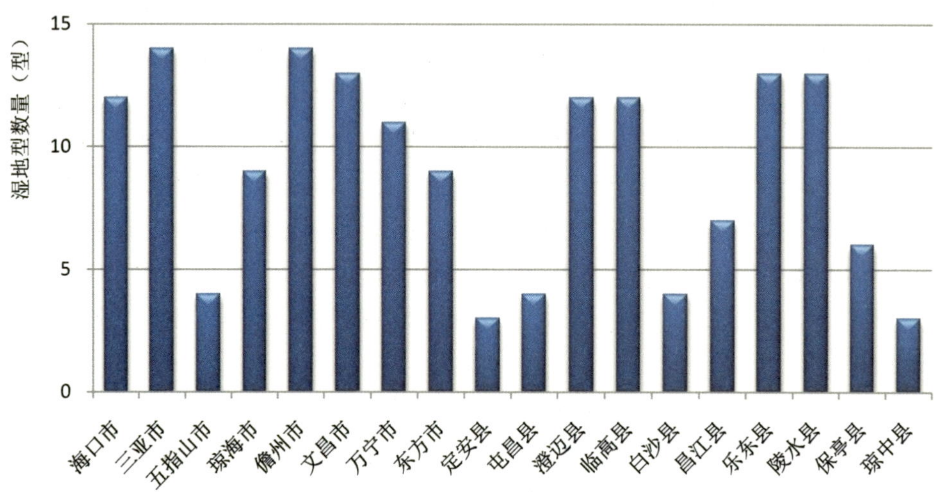

图 **2-30** 各市县湿地型数量分布图

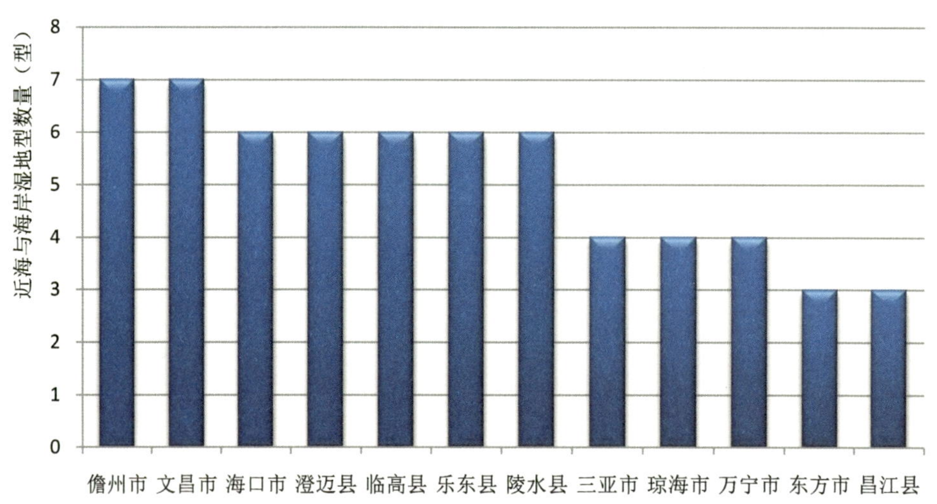

图 **2-31** 各市县近海与海岸湿地型数量分布图

沿海市县的丘陵台地中，其中儋州市的松涛水库、东方市的大广坝水库、琼海市的牛路岭水库、万宁市的万宁水库是较大的库塘湿地；运河/输水河分布在海口市、三亚市、儋州市、文昌市、屯昌县、澄迈县、临高县、乐东县、陵水县和保亭县等 10 个市县，其中儋州市、海口市、临高县是分布面积最大的 3 个市县；水产养殖场在除定安县外的各个市县皆有分布，且集中在沿海地区，文昌市、儋州市等是水产养殖场湿地面积较大的市县；盐田湿地主要集中在西海岸的市县，如三亚市、儋州市、东方市、澄迈县、临高县和乐东县等 6 个市县，其中乐东县的盐田湿地面积最大。

表 2-18 各市县湿地类型概述表(公顷)

县级行政区	近海与海岸湿地										河流湿地		湖泊湿地	沼泽湿地	人工湿地				合计		
	101	102	103	104	105	106	108	109	110	111	201	203	301	402	501	502	503	505	湿地类（类）	湿地型（型）	面积
海口市*	14729.41	194.10			3726.52	28.99	1796.76	557.58			4004.15	705.93	166.61		3639.10	197.87	1161.23		4	12	30908.25
秀英区	4532.23				101.41						520.65	439.16			603.33	15.85	8.65		3	7	6221.28
龙华区	697.59					28.99	25.97				497.61	44.40	142.18		248.45	10.70	79.79		4	9	1775.68
琼山区											1480.39				2051.88	97.25	263.29		2	4	3892.81
美兰区	9499.59	194.10			3625.11		1770.79	557.58			1505.50	222.37	24.43		735.44	74.07	809.50		4	11	19018.48
三亚市	8154.55		460.32	229.57	1410.11	163.26	241.14			424.15	2931.96	49.07	12.91		2471.57	13.17	1124.22	232.83	4	14	17918.83
五指山市											1006.13	158.09			276.13		9.20		2	4	1449.55
琼海市	6222.65		977.22		562.73			727.57			3112.48	721.56	62.27		3240.12		334.22		4	9	15960.82
儋州市	10287.52		2166.89	2314.58	6917.26	364.07	608.18	2341.93			1843.77	130.89	126.49		12562.26	207.83	773.65	303.34	4	14	40948.66
文昌市	18641.95	101.28	1453.32	409.10	5238.42		1688.47	2260.64			1323.53	136.84	19.28		4287.33	124.64	4055.22		4	13	39740.02
万宁市	4054.98		86.53	191.83	1269.37		57.60			5255.59	1524.29		10.36	27.04	4013.57		1521.83		5	11	18012.99
东方市	44669.84				1036.33		58.21				2029.60	863.66	26.59		8482.16	4.60	1579.46	761.78	4	9	59512.23
定安县											1370.08	63.13			2338.31				2	3	3771.52
屯昌县											825.46				1401.95	57.45	30.76		2	4	2315.62
澄迈县	5091.43			298.21	824.88	237.62	129.23	771.45			3013.58	660.35			1909.32	74.24	852.67	11.71	3	12	13874.69
临高县	5466.24			805.40	1958.52	198.61	128.93	264.62			1024.29	243.31			1427.54	127.05	761.99	311.94	3	12	12718.44
白沙县											1457.23	30.88			2933.23		449.62		2	4	4870.96
昌江县	2920.33				1157.01						1734.01	403.95		16.64	1224.78		704.74		4	7	8161.46
乐东县	22314.96			50.05	505.67			45.49	22.82	506.12	2941.48	393.83	82.76		3405.53	7.06	1233.34	3241.44	4	13	34750.55
陵水县	2141.19	207.17	139.08	56.53	1798.69		27.53			1518.46	1428.44	58.02	41.50		1415.97	19.87	825.99		4	13	9678.44
保亭县											793.32	26.95	8.14		858.22	6.85	124.40		3	6	1817.88
琼中县											2744.79				851.09		19.60		2	3	3615.48
合　计	144695.05	502.55	5283.36	4355.27	26405.51	992.55	4736.05	6969.28	22.82	7704.32	35108.59	4646.46	556.91	43.68	56738.18	840.63	15562.14	4863.04	5	18	320026.39

备注：*海口市为秀英区、龙华区、琼山区和美兰区4个区的总和。湿地类型：近海与海岸湿地：101 = 浅海水域，102 = 潮下水生层，103 = 珊瑚礁，104 = 岩石海岸，105 = 沙石海滩，106 = 淤泥质海滩，108 = 红树林，109 = 河口水域，110 = 三角洲，111 = 海岸性咸水湖；河流湿地：201 = 永久性河流，203 = 洪泛平原湿地；湖泊湿地：301 = 永久性淡水湖；沼泽湿地：402 = 草本沼泽；人工湿地：501 = 库塘，502 = 运河/输水河，503 = 水产养殖场，505 = 盐田。

第三章 湿地生物资源

第一节 湿地植物和植被

1 湿地植物

湿地植物包括沼生植物、湿生植物和水生植物。它们生长在地表经常过湿、常年积水或浅水的环境中(郎惠卿等，1999)。沼生植物的植株根系及近于基部地方浸没水中，一般生长于沼泽浅水中或地下水位较高的地表；湿生植物生活在土壤水分饱和的沼泽地区或水边，它们的根系不发达，没有根毛，但根与茎之间有通气的组织，以保证取得充足的氧气；水生植物分为挺水、沉水、浮水和漂浮等类型，前三者的基部没于水中，茎、叶大部分挺于水面之上，暴露在空气中。根据湿地植物外在形态，可分为草本、灌木、乔木和藤蔓植物。

植物区系是某一地区，或者是某一时期，某一分类群，某类植被等所有植物种类的总称。它们是植物界在一定自然环境中长期发展演化的结果。植物区系包括自然植物区系和栽培植物区系，但一般是指自然植物区系。根据不同原则或分布区特点，可划分为几类区系成分。通常将某地区全部植物种类按科、属、种进行数量统计，然后按地理分布、起源地、迁移路线、历史成分和生态成分划分成若干类群，分别称为植物区系的地理成分、发生成分、迁移成分、历史成分和生态成分等，以便全面了解一个地区植物区系的种类组成、分布区类型以及发生、发展等重要特征。

1.1 湿地植物种类组成

根据《海南植物志》和《中国植物志》，初步统计海南有湿地维管植物 247 种，其中蕨类植物 11 种，被子植物 236 种。

本次调查共设置 523 个湿地植物样方对湿地植物开展调查，其中乔木植物样方 23 个，灌木植物样方 432 个，草本植物样方 52 个，蕨类植物样方 16 个。样方调查共记录湿地植物 37 种，隶属于 22 科 30 属。其中红树林物种 22 种，隶属于 13 科 16 属。其他以草本植物为主，共记录 15 种，隶属于 9 科 14 属(附录 1)。下述所有湿地植物统计数据均为实地通过样方调查记录物种及数据。

1.2　常见湿地植物

海南湿地中常见的湿地植物主要为红树林植物，其是海南红树林湿地生态系统重要的组成部分。海南红树林湿地中常见的湿地植物有：大戟科的海漆；海桑科的海桑；红树科的角果木、秋茄、正红树、海莲、木榄和红海榄；马鞭草科的海榄雌；使君子科的榄李和紫金牛科桐花树。

1.3　珍稀濒危湿地植物

在海南岛所记录的38种红树植物中，榄李、红榄李、海南海桑、杯萼海桑、卵叶海桑、拟海桑及水椰为濒危种。水椰、红榄李、海南海桑、拟海桑、木果楝已载入《中国植物红皮书》；红榄李与海南海桑已被“中国生物多样性保护行动计划”列入《植物种优先保护名录》。

1.4　特有湿地植物

所记录的湿地植物中，海南海桑为海南岛特有物种；红榄李和水椰为典型的热带地区物种，我国仅在海南南部分布。如红榄李，在我国仅分布在三亚铁炉港和陵水新村港等地区；水椰仅在海南的万宁石梅湾形成成片的群落，虽在东寨港有少量植株分布，但未形成典型的水椰群系。这些物种若在海南受到破坏消失，我国将丧失这些典型热带物种。

2　湿地植被

2.1　草丛湿地植被型组

2.1.1　莎草型湿地植被型

硕大藨草群系。本群系的典型群落为万宁乐山村的沼泽湿地，硕大藨草是优势种，伴生有雨久花科的梭鱼草和天南星科的野芋。

2.1.2　杂类草湿地植被型

三俭草群系。主要分布在丘陵台地区域，本群系的典型群落为昌江打根塘的沼泽湿地，群落以三俭草为优势物种，伴生有禾本科的华三芒草和李氏禾。

2.2　浅水植物湿地植被型组

2.2.1　漂浮植物型

凤眼莲群系。本群系广布于各地池塘、水潭及河道中。群系主要由凤眼莲组成，凤眼莲为外来入侵物种，繁殖速度快。

莲花群系莲花为人工引种的物种，并非海南本土物种，零星分布在库塘和湖泊中，人为引入多作为观赏所用。

2.2.2　沉水植物型

海菖蒲群系。本群系分布在浅水水域的海草床中，是海草床的主要组成植物群系，典型的群落分布在陵水的新村港内。以海菖蒲为优势物种，伴生有水鳖科的泰来藻和角果藻科的羽叶二药藻。

二药藻群系。本群系是海草床的主要组成成分，主要分布在浅海水域中，典型的群落分布在海口的东寨港内。以二药藻为优势物种，伴生有水鳖科的喜盐草。

泰来藻群系。本群系是海草床的主要组成成分，主要分布在浅海水域中，典型群落分布在文昌椰林湾和陵水的黎安港水域。以泰来藻为优势物种，伴生有水鳖科的海菖蒲、茨藻科的海神草、眼子菜科的针叶藻和喜盐草。

2.3 红树林湿地植被型组

红树林是生长在热带、亚热带地区的海岸潮间带或河流入海口、以红树科植物为主组成的、受周期性海水浸淹的木本植物群落。海南岛是我国第二大岛，有绵长的海岸线和众多的港湾、河口，为红树林的生长繁衍提供了优越的条件，使之成为了我国红树林植物种类最丰富、生长最好的地区。

海南红树林湿地植被型组包括：卤蕨群系、海莲群系、角果木群系、秋茄群系、红海榄群系、正红树群系、榄李群系、海漆群系、桐花树群系、水椰群系、海桑群系、杯萼海桑群系、无瓣海桑群系、海榄雌群系、阔苞菊群系。

(1)卤蕨群系。卤蕨为嗜热广布种种类，在海南有较大的分布范围，典型的群落分布在文昌的清澜港和海口的东寨港。

(2)海莲群系。海莲群系是处于中后期的演替类型，在海南分布范围广，典型群落分布在东寨港、文昌的清澜港、烟墩、会文、铺前港、头苑和霞场分布有大面积的海莲纯林。

(3)角果木群系。角果木主要生长在海湾内滩中部稍高地段，为演替中后期类型。该物种在海南分布较广，除万宁、东方和昌江外，其余沿海市县均有分布。海口东寨港分布有典型的单优群落。

(4)秋茄群系。秋茄是全岛红树林较为常见的物种，多分布在红树林的后缘咸淡水交界处。该区系的典型群落主要分布在海口东寨港。

(5)红海榄群系。红海榄群系是红树林演替中期最发达的类群，常分布于中滩或较狭海岸带的中内滩，在浅海沉积的沙滩上也有少量分布。该群系在全岛海岸带有红树林处几乎都有生长，儋州的洋浦港内分布有较大面积。

(6)正红树群系。正红树主要分布在平缓的出海河漫滩。全岛沿海区域均有分布，其中海口东寨港、文昌清澜港分布面积最大，三亚地区的群落多为正红树纯林。

(7)榄李群系。该群系的典型群落分布在陵水新村港、文昌清澜港和澄迈花场湾。

(8)海漆群系。海漆分布于红树林带的最内缘，它的单优林或衍生类群是红树林演替的中期类型，是红树林演替系列向海岸林过渡的一个类群。海漆集群零散分布于全省沿海，多分布在高潮线的海滩或河口堤岸旁。典型的群落分布在清澜港。

(9)桐花树群系。桐花树适应性较强，是红树林分布最广的类群之一，主要生长在松软淤泥和沙质泥滩上，属于前、中期的演替类型。该集群普遍分布于海南岛，典型的群落分布在临高马枭镇红树林。

(10)水椰群系。在我国水椰集群仅见于海南岛，为嗜热性红树，属于演替后期阶段类型。在陵水、琼海、海口、三亚尚有少量生长，在万宁的牛上岭港有较为大片的水椰纯林。

(11)海桑群系。海桑适应性较强，在海滩岸边或外缘以及内河漫滩、河口均可生长，是红树林演替系列前期和后期都可存在的类型。典型群落主要分布于东寨港、清澜港及烟墩海岸一带，万宁海岸外滩也有少量分布。

(12)无瓣海桑群系。无瓣海桑为引种，用于红树林的恢复。典型群落分布于东寨港红树林。

(13)杯萼海桑群系。该群系的典型群落主要分布在文昌清澜港。

(14)海榄雌群系。海榄雌对土壤适应性很强，从淤泥至细沙壤均能生长，从外滩的前缘到中内滩均有分布，为真红树植物。该集群在海南岛分布范围较广，是红树林演替系列的前期类型。典型的群落分布在东方面前海红树林、新盈红树林湿地、澄迈花场湾红树林和东寨港宫后村红树林，伴生有桐花树、木榄等红树植物。

(15)阔苞菊群系。为半红树植物，典型群落主要分布在清澜港。

除上述的主要群系外，海南岛还存在分布不广的小群系，如分布在儋州地区沿岸的黄槿、水芒果和水黄皮等半红树群系。通过与其他地区的红树林群系研究比较，海南岛红树林的结构较我国其他地区的复杂。

第二节
湿地动物资源

1　湿地动物种类组成及特点

本次调查共设置湿地动物调查样带 81 条，样点 85 个，同时调查两栖类、爬行类、湿地水鸟和兽类物种。共设置鱼类调查样点 95 个，记录物种信息及数量情况，采集标品带回室内，请相关专家进行物种鉴定。在沿海共设置大型底栖动物调查样框 84 个，记录物种信息及数量情况，采集标品带回室内，请相关专家进行物种鉴定。

1.1　种类组成

通过实地调查，共记录湿地脊椎动物有 177 种(表 3-1)，隶属 27 目 72 科 134 属(附录 2)，其中鱼类 13 目 43 科 72 属 86 种，两栖类 1 目 5 科 8 属 15 种，爬行类 1 目 6 科 13 属 13 种，湿地水鸟 8 目 12 科 36 属 58 种，兽类 3 目 4 科 5 属 5 种。海南湿地脊椎动物组成中鱼类的物种比例最高，达到 48.59%；其次是湿地水鸟，所占比例为 32.77%；再者为两栖类，所占比例为 8.47%；爬行类占 7.34%；兽类仅占 2.82%。此外还记录了 100 种大型底栖动物，隶属 14 目 47 科 79 属。

表 3-1 2012 年湿地动物调查种类组成

		鱼 类	两 栖	爬 行	湿地水鸟	兽 类	合 计
数 量	目	14	1	1	8	3	27
	科	45	5	6	12	4	72
	属	72	8	13	36	5	134
	种	86	15	13	58	5	177
比例(%)	目	51.85	3.70	3.70	29.63	11.11	100.00
	科	62.50	6.94	8.33	16.67	5.56	100.00
	属	53.73	5.97	9.70	26.87	3.73	100.00
	种	48.59	8.47	7.34	32.77	2.82	100.00

1.2 湿地脊椎动物种数分布

比较各重点调查湿地记录的脊椎动物数量，虽然各重点调查湿地的调查强度存在差异，通过比较可以得到湿地脊椎动物的分布趋势。总的来说，沿海湿地记录的物种数量较内陆湿地较多，其中湿地水鸟主要分布在沿海区域，且沿海鱼类物种数量也较内陆湿地的丰富。

据统计各重点调查湿地记录脊椎动物种数占全省记录湿地脊椎动物种数百分比，前三位的是西海岸湿地，占 32.6%；东海岸湿地占 28.7%；东寨港国家级自然保护区和清澜港省级自然保护区，皆为 18.2%(图 3-1)。

1.3 海南湿地脊椎动物区系成分

中国包含古北界和东洋界，两界又可分为 7 区 19 亚区，海南属于东洋界华南区的海南亚区。亚区下划分为 2 个地理省：中部山地省、沿海低地省(张荣祖，1999)。

由于鱼类区系划分与陆生脊椎动物的系统存在差异，故将本次调查记录中除鱼类外 91 种陆生脊椎动物分为古北界、东洋界和广布种，其中东洋界 43 种，占总种数 47.25%；古北界 33 种，占总种数 36.26%；广布种为 15 种，占总种数 16.49%(表 3-2)。

表 3-2 2012 年湿地动物调查陆生脊椎动物区系分布

	两栖类	爬行类	湿地水鸟	兽 类	总计(种)	百分比(%)
古北界	0	0	31	2	33	36.26
东洋界	15	13	12	3	43	47.25
广布种	0	0	15	0	15	16.49

从表 3-2 来看，海南脊椎动物区系以东洋界为主，其中东洋界的两栖类和爬行类表现了极大的优势；而鸟类主要因为记录的物种多为迁徙能力较强的水鸟，所以表现出为广布种占优势的特点；而在兽类中则是东洋界种类占优势。

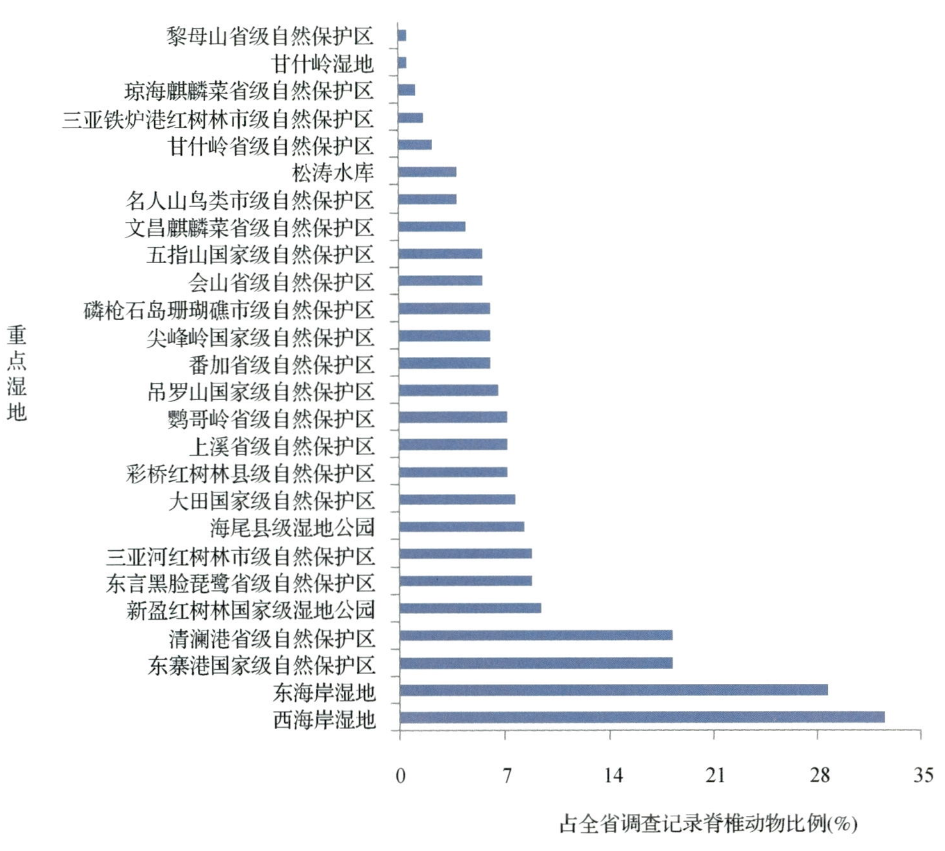

图 **3-1**　**2012** 年湿地动物调查重点调查湿地脊椎动物种类占全省湿地脊椎动物比例

1.4　湿地野生动物资源特点

1.4.1　各类群湿地动物分布特点

统计不同湿地型中记录各类群湿地动物的物种比例(表 3-3)，结果显示兽类、爬行类和两栖类主要分布在内陆的淡水河流和库塘中。而湿地水鸟则主要在沙石海滩、红树林和水产养殖场等湿地型中记录。红树林是湿地水鸟重要的栖息场所，而沙石海滩和水产养殖场则是湿地水鸟主要的觅食场所，所以在调查中这 3 类湿地型中记录了较多的湿地水鸟。鱼类主要在永久性河流和库塘中记录物种较多，记录物种占总物种数的比例都在 20% 以上，这些物种多为淡水鱼类，而在浅海水域、红树林和海岸性咸水湖中，记录的鱼类物种占鱼类总物种数的比例皆在 10% 以上，多为河口与浅海鱼类，说明沿海鱼类主要集中分布在浅海水域、红树林和一些泻湖、海湾内。底栖动物主要分布在潮间带，通过调查记录发现红树林是大型底栖动物主要分布的湿地型，有超过 50% 的物种都在红树林湿地中有记录。

综上所述，红树林湿地型是生物多样性较为丰富的地区，尤其是湿地水鸟、鱼类和大型底栖动物，红树林为这些动物提供了重要的栖息地和觅食场。对红树林湿地开展保护，是保护这些湿地动物的重要途径。

表 3-3 2012 年湿地调查中各湿地型记录各类群动物物种比例(%)

湿地型	兽 类	湿地水鸟	爬行类	两栖类	鱼 类	底栖动物
浅海水域	0	8.5	0	0	12.9	1.2
珊瑚礁	0	1	0	0	0	1.2
岩石海岸	0	0.5	0	0	0.6	20.2
沙石海滩	0	19.1	0	0	5.8	25
淤泥质海滩	0	1.5	0	0	0	0
红树林	0	15.2	0	0	11.1	52.4
河口水域	0	4.5	0	0	0	0
海岸性咸水湖	0	4	0	0	10.3	0
永久性河流	42.9	9	60	77.8	29	0
永久性淡水湖	0	0	0	0	3.2	0
库塘	57.1	12.6	40	22.2	21.3	0
水产养殖场	0	14.6	0	0	5.8	0
盐田	0	9.5	0	0	0	0
总 计	100	100	100	100	100	100

1.4.2 海洋湿地动物资源占优势

统计各类型湿地中记录的动物类群数量和其物种数量占总记录物种数量的比例(表 3-4)，结果显示永久性河流和库塘中记录的物种类群数量最多，记录了除大型底栖动物外的 5 类，其中永久性河流记录的物种数量占总物种数量的 18.6%，库塘记录的物种数量占总物种数量的 15.1%。近海与海岸湿地类中除兽类、爬行类和两栖类外的 3 个动物类群皆有分布，但其记录的物种数量占总数的 50% 以上，特别是红树林和沙石海滩湿地型，占有较大比例，显示海洋湿地动物占较大的优势。

此外，湿地水鸟的分布区域较广，在 12 个湿地型中有分布；其次是鱼类在 9 个湿地型中有分布。

1.4.3 湿地水鸟种类丰富、数量众多

中国共记录有鸟类 1371 种(郑光美，2011)，全国湿地水鸟 32 科 271 种(《全国湿地资源调查技术规程(试行)》，2010)，占中国鸟类物种的 19.8%。至今海南岛共记录鸟类物种 436 种(江海声私人通讯，2013)，占全国鸟类物种的 31.8%。但仅在 436 种鸟类中就记录到湿地水鸟 12 科 58 种，占全国水鸟 32 科 271 种的 37.5% 和 21.4%。说明水鸟是海南岛鸟类的重要组成类群，水鸟种类丰富。

1.4.4 珍稀濒危物种比例较高

在调查记录的 177 种脊椎动物中，共有 8 种国家保护物种，其中湿地水鸟 6 种为国家Ⅱ级保护物种，占湿地水鸟物种的 9.8%；两栖类 1 种为国家Ⅱ级保护物种，占两栖类物种的 6.3%；兽类 1 种为国家Ⅱ级保护动物，占记录的 20.0%。

省级保护物种海蛙是典型的湿地两栖类，主要生活在近海边或半咸水地区，主要分布在东寨港、八门湾、新英港等地。

1.4.5 湿地浅海鱼类物种多样，河流湿地鱼类特有性强

本次调查记录的海水鱼类物种多样，占所有记录鱼类的 65% 以上。河流淡水鱼类中记录有 2 个海南特有物种，包括保亭近腹吸鳅与海南原缨口鳅，此外还有许多为适应其所栖息溪流所特化的鱼类，如攀鲈等。

表 3-4 2012 年湿地调查中各湿地型记录动物类群数量及物种比例

湿地型	兽 类	湿地水鸟	爬行类	两栖类	鱼 类	底栖动物	合 计 动物类群数	占总物种数 比例(%)
浅海水域		1			1	1	3	7.9
珊瑚礁		1				1	2	0.6
岩石海岸		1			1	1	3	4
沙石海滩		1			1	1	3	14.2
淤泥质海滩		1					1	0.6
红树林		1			1	1	3	19.2
河口水域		1					1	1.9
海岸性咸水湖		1			1		2	5
永久性河流	1	1	1	1	1		5	18.6
永久性淡水湖					1		1	1
库塘	1	1	1	1	1		5	15.1
水产养殖场		1			1		2	7.9
盐田		1					1	4
总 计	2	12	2	2	9	5	6	100

2 常见湿地动物

海南湿地中分布较多的动物类群是湿地水鸟，是湿地典型的代表性类群，是湿地生态系统中重要的组成部分。海南湿地中常见的水鸟有：鹭科的苍鹭、池鹭、牛背鹭、大白鹭、白鹭和夜鹭；鸭科的栗树鸭、针尾鸭和绿翅鸭；鸻科的环颈鸻、蒙古沙鸻和铁嘴沙鸻；鹬科的红脚鹬和泽鹬、青脚鹬、林鹬和黑腹滨鹬；鸥科的须浮鸥和黑枕燕鸥。

此外鱼类也是湿地生态系统中重要的动物类群。海南的鱼类资源丰富，根据调查记录的鱼类资源，常见的淡水鱼类有鲤科的鲤、鲮、鳘、须鲫、翘咀鲌、马口鱼、海南异鱲和细尾白甲鱼；鳅科的泥鳅；鳢科的斑鳢和宽额鳢；塘鳢科的云斑尖塘鳢。常见的海洋鱼类有青弹涂鱼、少鳞燕鳐、大眼青鳞鱼、大头狗母鱼、尖吻鯻、惠琪豆娘鱼、长棘银鲈、褐菖鲉、乔氏鱵和棱鲻。

常见的两栖动物有蛙科的泽蛙、沼蛙、小湍蛙；常见的爬行动物有游蛇科的铅色水蛇、渔游蛇等。常见的湿地哺乳动物有野猪、隐纹花松鼠。

3 珍稀濒危湿地动物

在本次调查记录到的湿地动物中，有国家Ⅱ级保护物种 8 种，隶属于 3 纲 5 目 6 科 7 属。分别是两栖纲的虎纹蛙；鸟纲的岩鹭、白琵鹭、黑脸琵鹭、鹗、小杓鹬和小青脚鹬；哺乳纲的水獭。

记录到的海南省省级重点保护陆生野生动物有 56 种(表 3-5)，其中两栖纲有 2 科 6 属 6 种，如海南湍蛙、海南溪树蛙和脆皮蛙；爬行纲有 3 科 3 属 3 种，为蜡皮蜥、银环蛇和灰鼠蛇；鸟纲有 4 目 7 科 27 属 47 种，如鹳形目的大白鹭、池鹭，鹤形目的白胸苦恶鸟、紫水鸡，鸻形目的金眶鸻、小杓鹬，雁形目的针尾鸭和绿翅鸭等。

表 3-5 记录到海南省省级重点保护陆生野生动物组成

纲	目	科	属	种
两栖纲	无尾目	2	6	6
爬行纲	有鳞目	3	3	3
鸟 纲	鹳形目	1	7	12
	鹤形目	1	4	4
	鸻形目	4	13	27
	雁形目	1	3	4
合 计		12	36	56

4 特有湿地动物

本次记录的海南特有湿地动物有 7 种，隶属于 2 纲 2 目 3 科。其中河流淡水鱼类记录有 2 种，包括保亭近腹吸鳅与海南原缨口鳅；两栖类动物记录有 5 种，包括海南溪树蛙、脆皮蛙、海南湍蛙、细刺蛙和小湍蛙。

5 湿地鸟类

5.1 种 类

5.1.1 组 成

统计各目鸟类种类分布情况，可见湿地水鸟中鸻形目鸟类种类较多，占到总种类 44.83%；其次是鹳形目鸟类，占总种类的 24.14%；而鸥形目、雁形目、鹤形目等水鸟种类是另一大类，总种类超过 20.00%（表 3-6）。

表 3-6 2012 年湿地动物调查湿地水鸟物种组成

目 名	科 数	属 数	物种数	物种所占比例(%)
1、䴙䴘目 Podicipediformes	1	1	1	1.72
2、鹳形目 Ciconniformes	2	8	14	24.14
3、雁形目 Anseriformes	1	3	4	6.90
4、隼形目 Falconiformes	1	1	1	1.72
5、鹤形目 Gruiformes	1	4	4	6.90
6、鸻形目 Charadriiformes	4	13	26	44.83
7、鸥形目 Lariformes	1	3	5	8.62
8、佛法僧目 Coraciformes	1	3	3	5.17
合 计	12	36	58	100

本次调查共记录湿地水鸟 12 科 58 种，主要由鹬科、鹭科、鸥科和鸻科鸟类组成，其中鹬科

鸟类20种，占整个鸟类的32.26%；鹭科鸟12种，占整个鸟类种类的19.35%；鸥科鸟类7种，占整个鸟类种数的11.29%；鸻科鸟类5种，占整个鸟类种数的8.06%(图3-3)。这4个科的鸟类种数，占湿地鸟类总物种数的70.97%。在沿海分布的鸟类主要以鹬科、鸥科为主，鹭科鸟类的生境较广，在沿海和库塘湿地皆可见。

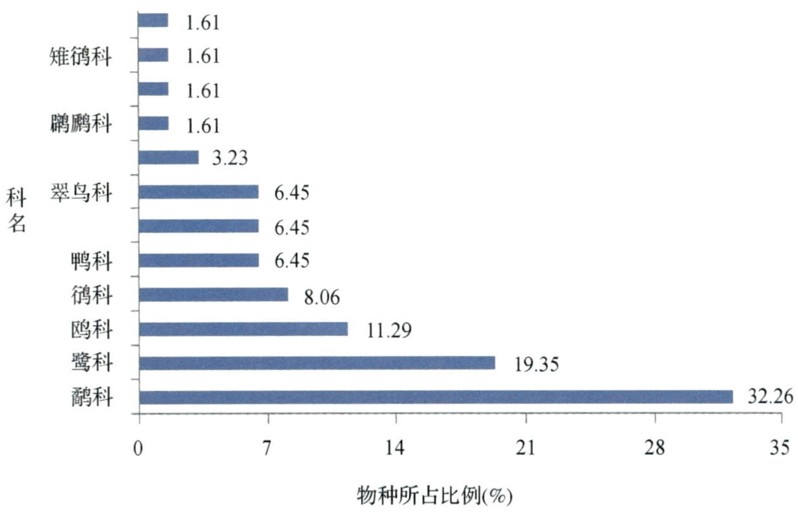

图3-3　2012年湿地动物调查各科水鸟物种比例

5.1.2　海南湿地水鸟区系结构

统计58种鸟类的分布型(张荣祖，1999)，发现其中古北型的鸟类占有较大比例，为27.6%；其次为不易归类的分布物种，为25.9%；第三的是东洋型的鸟类物种，占20.7%的比例(表3-7)。

表3-7　2012年湿地动物调查水鸟分布型

分布型		物种数量	占总物种比例(%)
C	全北型	10	17.2
U	古北型	16	27.6
M	东北型	3	5.2
D	中亚型	2	3.4
W	东洋型	12	20.7
O	不易归类的分布	15	25.9
合　计		58	100

海南岛地处东洋界，但记录鸟类物种的分布却以古北型、不易归类的分布和全北型为主，这3类分布型所占比例大于70%。说明了在调查记录的鸟类中候鸟占了较大比例，海南是候鸟重要的越冬地和迁飞的停歇站。

5.1.3 珍稀濒危状况

记录的58种湿地水鸟中，有6种为国家Ⅱ级保护物种，分别为岩鹭、白琵鹭、黑脸琵鹭、鹗、小杓鹬和小青脚鹬。

根据IUCN红色名录，有2种鸟类为濒危物种，分别是黑脸琵鹭、小青脚鹬；2种为易危物种，分别是白腰杓鹬、黑尾塍鹬。

5.2 湿地水鸟的居留型

分析湿地水鸟的居留型(图3-4)，其中冬候鸟数量最多，共有27种，占记录鸟类物种的46.55%，主要类群为鹬科鸟类。其次为留鸟，共有20种，主要类群为鹭科和翠鸟科鸟类，占记录鸟类物种的34.48%。共有10种旅鸟，主要类群为鹬科鸟类，占记录鸟类物种的17.24%。夏候鸟1种，占记录鸟类物种的1.72%。

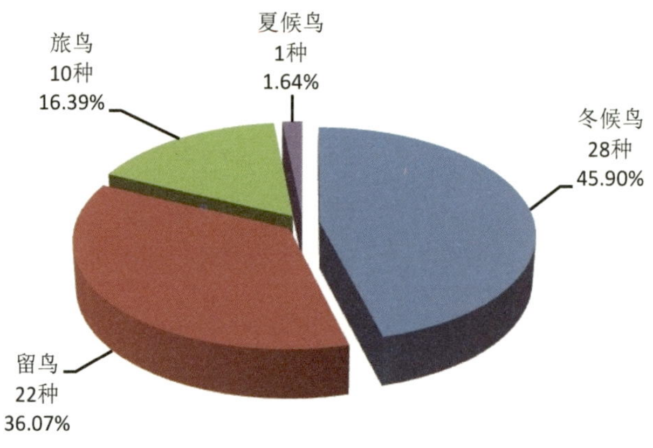

图3-4 2012年湿地动物调查水鸟各居留型组成结构

海南位于全球候鸟迁徙路线中的东亚—澳大利西亚鸟类迁徙路线上，海南记录有丰富的候鸟物种，沿海区域记录有庞大的鹳形目、鸻形目和鸥形目鸟类种类及数量。沿海区域的湿地都是这些候鸟迁徙过程中重要的重要歇息地和越冬地，特别是对于旅鸟，海南沿海区域的湿地更是保证这些旅鸟完成其生命历程中重要的“驿站”。海南岛水鸟居留型的特点充分说明海南岛是保护水鸟迁徙、保证其生存繁殖的关键区域，需要制定相关策略，对这些重点湿地区域进行重点保护管理。

5.3 分 布

利用ArcGIS的空间分析模块对湿地水鸟的物种多样性分布格局进行分析，整体呈现海南岛东岸和北岸的湿地水鸟物种多样性较为丰富，其中海口、澄迈、临高、儋州、万宁、陵水和三亚等沿海市(县)的水鸟物种多样性较高(图3-5)。

5.4 栖息地及其保护状况

5.4.1 优势物种的分布情况

在沿海分布的海南东寨港国家级自然保护区、海南清澜港省级自然保护区、东方黑脸琵鹭省级自然保护区、南湾省级自然保护区、三亚红树林市级自然保护区、三亚铁炉港红树林市级自然

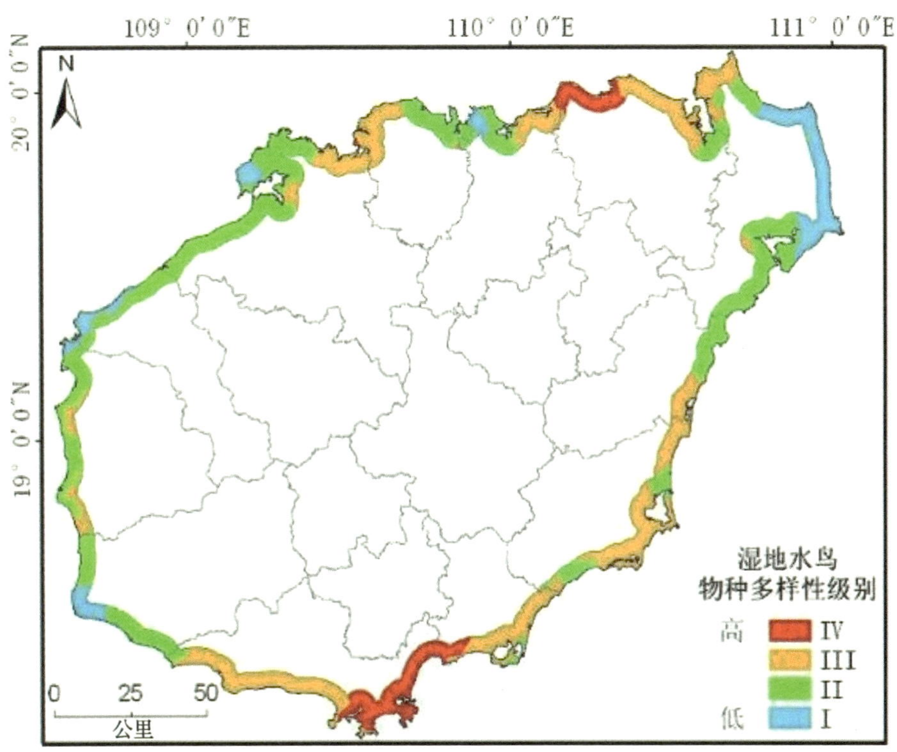

图 **3-5** **2012** 年湿地动物调查湿地水鸟物种多样性分布格局

保护区、新盈红树林县级自然保护区、澄迈花场湾沿岸红树林自然保护区等是鸻鹬类鸟类的重要分布区。

在沿海分布的海南东寨港国家级自然保护区、海南清澜港省级自然保护区、青皮林省级自然保护区、东方黑脸琵鹭省级自然保护区、三亚红树林市级自然保护区、三亚铁炉港红树林市级自然保护区、新盈红树林县级自然保护区、澄迈花场湾沿岸红树林自然保护区和海南大田国家级自然保护区、海南铜鼓岭国家级自然保护区、海南上溪省级自然保护区、海南会山省级自然保护区、海南南湾省级自然保护区和松涛水库库区是鹭科鸟类的重要分布区。这些主要湿地鸟类及其栖息地皆纳入自然保护区中进行重点保护。这些自然保护区的建立，更好地保护湿地资源，湿地鸟类的栖息地同时也得到了较好的保护。

此外，近海区域与七洲列岛是鸥科鸟类的重要分布区。七洲列岛是离岛，鸟类与自然环境受到的人类干扰较少，是一个良好的栖息场所，聚集大量的褐翅燕鸥，据调查计数约有 1 万多只。

5.4.2 水鸟分布的自然保护区概况

海南省湿地水鸟资源丰富，国家重点保护或珍稀濒危鸟类较多，主要栖息地分布于红树林、沿海滩涂和淡水河流流域等区域，分布不均且呈斑块状。统计本次调查中有水鸟分布的重点调查湿地的保护情况(表 3-8)，以分析水鸟的保护现状。

结果显示水鸟分布的重点调查湿地中保护形式有自然保护区和湿地公园，仍有重点调查湿地尚未建立保护形式的，如七洲列岛湿地和松涛水库湿地等。其中自然保护区中共有 2 个国家级自然保护区，6 个省级自然保护区，4 个市县级自然保护区；湿地公园有 1 个国家级湿地公园，1 个

表 3-8 本次调查分布水鸟重点调查湿地的保护概况

序号	湿地名称	水鸟物种数	保护形式	级别	主管部门	边界明确	功能区划	保护机构	保护人员
1	大田国家级自然保护区	2	1	N	林业	1		1	1
2	东寨港国家级自然保护区	26	1	N	林业	1	1	1	1
3	东方黑脸琵鹭省级自然保护区	16	1	P	林业	1		1	1
4	会山省级自然保护区	7	1	P	林业	1		1	1
5	清澜港省级自然保护区	22	1	P	林业	1	1	1	1
6	琼海麒麟菜省级自然保护区	2	1	P	海洋				
7	上溪省级自然保护区	3	1	P	林业	1		1	1
8	文昌麒麟菜省级自然保护区	8	1	P	海洋				
9	彩桥红树林县级自然保护区	8	1	C	林业				
10	名人山鸟类市级自然保护区	7	1	C	林业				
11	三亚河红树林市级自然保护区	15	1	C	林业			1	1
12	三亚铁炉港红树林市级自然保护区	3	1	C	林业			1	1
13	新盈红树林国家级湿地公园	17	2	N	农垦	1	1	1	1
14	海尾县级湿地公园	15	2	C	地方政府	1		1	
15	七洲列岛湿地	3	3		地方政府				
16	松涛水库	7	3		松涛水库管理局				
17	西海岸湿地	33	3		地方政府				
18	东海岸湿地	6	3		地方政府				
19	洋浦港湿地	26	3		洋浦经济开发区管理局				

注：保护形式：1＝自然保护区，2＝湿地公园，3＝无保护形式；级别：N＝国家级，P＝省级，C＝市县级。

市县级湿地公园。其中林业主管的自然保护区和湿地公园共有 10 个，海洋部门主管的自然保护区和湿地公园共有 2 个。

林业主管的自然保护区和湿地公园中，除了如彩桥红树林县级自然保护区、名人山鸟类市级自然保护区、三亚河红树林市级自然保护区和三亚铁炉港红树林市级自然保护区等市县级单位外，其他单位的边界明确、保护机构健全、拥有专职保护人员。但在边界明确的单位中除了东寨港国家级自然保护区、清澜港省级自然保护区和新盈红树林国家级湿地公园进行功能区划外，其他的单位却尚未进行功能区划的工作，使得客观科学地开展水鸟保护缺乏有效性。而海洋主管的琼海麒麟菜省级自然保护区、文昌麒麟菜省级自然保护区，林业厅主管的彩桥红树林县级自然保护区、名人山鸟类市级自然保护区至今仍处于无机构、无人员、无经费的“三无”状态，这些自然保护区中的水鸟保护工作难以有效地进行。

作为湿地水鸟主要分布区域的七洲列岛湿地、松涛水库、西海岸湿地、东海岸湿地和洋浦港湿地尚无保护形式，不利于对这些地区分布水鸟的保护。

另外，结果显示水鸟主要分布在以红树林为主要类型的湿地中，如东寨港国家级自然保护区、清澜港省级自然保护区、东方黑脸琵鹭省级自然保护区和三亚河红树林市级自然保护区等地区，记录的物种数量都在15种以上。

5.5 存在问题

5.5.1 保护形式单一，保护能力急需改善

从上述结果(表3-8)可见，水鸟的保护形式现只有自然保护区和湿地公园两种类型，对于保护分布范围广泛、迁徙能力强的湿地水鸟来说并不足够，需要拓宽思路，建立多种保护形式，如：保护小区、保护点、候鸟越冬保护点等保护形式，多方面地对湿地水鸟开展保护工作。

另外，许多现有的保护区保护能力滞后，特别是市县级的保护区尚处于“三无”状态的纸上保护区，急需加大投入，增强自然保护区的保护能力，提供保护的成效。

5.5.2 水鸟栖息地减少

红树林是水鸟主要的栖息场所，但由于沿海房地产、养殖业的开发，滩涂围垦，围网养殖等因素，红树林湿地不断被蚕食，面积减少。除了直接的影响外，红树林周围建立的水产养殖场也会间接影响红树林生态系统的稳定与持续，生态质量下降，造成湿地水鸟栖息地质量的下降，特别是适合迁徙候鸟的自然栖息地急剧减少。

5.5.3 干扰加大，使得鸟类物种和个体数量在下降

水产养殖、过度捕捞底栖生物和鱼类对鸟类栖息地的影响日益增加，与湿地鸟类争栖息滩涂和食物资源严重；且在生产过程中，对鸟类驱赶作用也不断加大。

5.5.4 偷捕偷猎现象客观存在，威胁鸟类生存

虽然打击力度不断加大，但是偷捕偷猎鸟类行为仍存在，特别是在候鸟迁徙带，一些偷猎者以各种手段捕杀鸟类，特别是投毒，将多个种类不加以区分，都进行毒杀，严重威胁了鸟类的生存。

5.5.5 水体污染、鸟类栖息地质量下降

随着沿海的开发、经济不断发展，投入湿地生态系统的化学物质逐渐增加，包括了生活污水、化学肥料、农药等，沿海水域的水质下降，鸟类栖息地质量下降，同时污染还会造成湿地鸟类食物的减少。

5.5.6 鸟类执法保护人员力量薄弱

湿地面积大，从事湿地保护人员数量少，很多保护区区域执法人员很难到达。不法分子利用这一点偷猎水鸟等野生动物。需要对百姓加强宣传鸟类保护知识，改变猎取水鸟资源是合理的观念。

第四章
湿地资源利用

第一节 湿地资源利用方式及其利用现状

1 土地资源

海南省湿地土地资源包括天然湿地和人工湿地的土地资源：天然湿地的土地资源受威胁依然严峻，湿地生态保护用地除生态公益林有补偿外，没有其他资金保障。人工湿地的土地资源利用强度大，主要用于水利和水产养殖方面，人工湿地利用经济效益明显。

湿地土地权属包括国有和集体。国有土地主要用于水利库塘、城镇和码头建设；集体所有的土地大多由个体经营者承包，以水利和水产养殖利用为主。此外沿海地区红树林由林业部门主管，但沿海水域则由海洋部门主管，造成沿海地区土地及管理的权属不明，难以开展统一的管理，责权不清，土地的合理、可持续利用需要有效的管理方式。

湿地土地资源对于滨海城市来说是一项宝贵的资源，国际旅游岛的开发，城市化进程不断加快，滨海酒店、滨海房地产的兴起，势必往沿海海岸滩涂发展。很多沿海的海岸湿地，特别是许多海湾已被征占为建设用地，如海口的海口湾；文昌的高隆湾；琼海的博鳌湾；万宁的石梅湾、日月湾；陵水的香水湾、清水湾；三亚的三亚湾、亚龙湾、海棠湾；乐东的龙沐湾；东方的感城港湾；昌江的棋子湾；澄迈澄迈湾等沿海海湾皆有大型的滨海房地产项目。由于没有实行征占补偿平衡措施，海岸的湿地资源将会越来越少。

1.1 直接利用

2012 年 4 月 14 日对海南岛东线高速广告牌进行的调查显示(图 4-1)，在调查的 272 个广告牌中涉及房地产与酒店的达 152 个，占 56.9%；再对这 152 个涉及房地产或酒店的广告进行分析，发现其中有 99 个广告的是海湾房地产或酒店(图 4-2)，占房地产或酒店广告的 65.1%。说明房地产和旅游业对海南沿海湿地的利用现状十分严峻。

图 **4-1**　海南东线高速广告(**2012** 年 **4** 月 **12** 日拍摄)

图 **4-2**　中信地产在海南岛沿海分布
(拍摄时间 **2011** 年 **9** 月 **23** 日；地点：美兰机场)

国际旅游岛的口号提出，相关政策的出台，吸引了大量的房地产商来海南岛投资建设，一方面带动了加快了整个海南岛国际旅游岛的建设和经济发展，另一方面房地产开发给沿海湿地带来了不可逆转的破坏，如三亚铁炉港沿海高尔夫的开发，不仅侵占了潮间带沙滩和泥质海滩，破坏滨海湿地原有的生态环境；而且会使沿海地区失去大面积的水产动物天然栖息地、产卵场和索饵场，造成物种种群和数量的减少，对房产附近周边广阔海域生物资源造成长期的影响(图 4-3)。

图 **4-3** **2004** 年与 **2009** 年铁炉港湿地利用状况比较(截取于 **Google Earth**)

1.2 间接利用

房地产开发和旅游资源的发展，除直接侵占湿地资源外，同时也间接的在侵蚀、污染着湿地，如沿海高尔夫球场的设立，工农业生产排污等。2003 年 1 月份三亚鹿回头地段主要为农田(图 4-4 左)，滨海湿地受到较少的人为干扰，到 2012 年时，该处到处为建筑用地，同时大片农田消失，被人为修建为高尔夫球场，围海造地现象严重，整个海岸带以上，被开发殆尽(图 4-4 右)。

图 **4-4** **2003** 年与 **2012** 年三亚鹿回头沿海湿地利用状况(截取于 **Google Earth**)

2 水资源

海南的湿地水资源包括河流、库塘的淡水资源、河口水域区的咸淡水资源和浅海水域的咸水资源。据统计，海南岛共有独立入海的大小河流 154 条，集水面在 100 平方公里以上的干支流 39 条，集水面在 1000 平方公里以上的干支流 5 条，较大的河流有南渡江、昌化江、万泉河、陵水河、宁远河、珠碧江、望楼河、文澜河、藤桥河、北门江等。沿海台地河流星罗棋布、纵横交错，淡水资源相当丰富。海南省多年平均降水量为1755毫米，地下水资源储量75亿立方米，水力资源理论蕴藏量103.88万千瓦。河流淡水资源的特点是丰水期与枯水期流量变化大。

据统计，全省共有大小水库2000多座，水库面积5.6公顷。其中大型水库7座，分别为松涛水库、大广坝水库、万宁水库、长茅水库、石碌水库、牛路岭水库和大隆水库，集水面积达7228平方公里，总库容67.34亿立方米。湿地的淡水资源是海南人民工农业用水的重要来源，也是重要的饮用水源。

海南岛海岸线长达1528公里，全省包括三沙市和离岛在内海岸线长1823公里，河流出海口多，形成了广阔的咸淡水河口水域。此外浅海水域湿地资源十分丰富，面积逾15万公顷。

海南省的水资源具有以下特点：

2.1　水资源丰富，地区分布不均匀

海南的水资源在地区分布上不均匀，东部降水多于西部，自东向西递减。全岛降水高值区平均为1800～2500毫米，位于五指山东南迎风坡前，包括琼海、文昌、白沙、保亭一带。

2.2　水资源季节变化明显

一年之内有明显干湿季节，四季雨量有所不同，雨季降水量占年雨量60%以上。全岛降水变差系数，由于受台风影响显著，Cv值比内陆地区偏高，西部及沿海地区为0.30，中部为0.25。年径流量的地区变化趋势与降水的地区分布变化基本一致，南北差异小东西差异大，自东向西递减，并有山地大于平原和台地，迎风坡大于背风坡的特点。径流年内分配受降水支配。6个月汛潮径流量占年径流量75%～85%。春季径流量占9%～12%；夏季占21%～35%；秋季占48%～57%；冬季占7%～12%。

2.3　大部分淡水资源存储于库塘湿地中

大多数河流发源于山前丘陵台地上，河短流急，由于河川流程短，坡降大，入海快，大量的水资源流入大海，河流的淡水资源被使用率较低。特别是在海南西部干旱区域，多年平均降水量1453毫米，仅为全岛平均水平的83%。多年平均地表水资源量为32.8亿立方米，仅为全岛的17%，且江河流短坡陡，地表水难以留住，故在海南的西部修建了大量水库，海南西部6市县的水库总蓄水能力已经达到6.5亿立方米，占全省17市县蓄水能力总和约70%，大部分淡水资源主要存储在库塘湿地中。

3　生物资源

海南湿地的生物资源丰富，特别是在动物资源，海南水产资源丰富、渔业发达，有大量鱼、虾、蟹、贝类等水产资源。海南拥有北部湾渔场、清澜渔场、三亚渔场、西中沙渔场和南沙渔场等优良渔场。2011年，海南省水产品总产量达173.6万吨，渔业经济总产值达300.88亿元。

海南湿地植物资源利用方面，野生稻培育的杂交稻解决了我国重要的粮食问题；麒麟菜等藻类也是具有重要经济潜力的湿地植物。

湿地生物中有许多是药用生物或医药的重要原材料。如可在珊瑚、海绵、棘皮动物、海藻等生物中提取新的化合物，研制抗癌、抗心血管疾病和保健作用的药物和保健品。此外，海藻如马尾藻，螺旋藻及海带等生物已制成医药保健品投放市场。湿地植物中最典型的红树林植物，发挥了多种功能，如防风固岸、果实作为食品和中药原料。

4 能源资源

湿地的能源资源主要有：湿地的水电资源、风力资源等。

湿地的水电资源：利用水位落差进行水力发电是最普遍的一种湿地利用方式。海南湿地如河流、水库等均蕴藏着较丰富的水力资源。海南省共有大小水库 2000 多座，大小河流逾 800 条，具有丰富的水电资源。

海岸湿地的风力能源：近年中国风电装机容量不断增长，现已位列全球风电发电量首位。海南四面环岛，离岸风能丰富，开发海岸风力能源具有巨大潜力。

5 景观资源

海南省湿地景观资源较丰富，各类湿地中有不少湿地是著名的旅游景点，特别是沿海湿地，一直都是海南旅游的主要对象。其中近海与海岸湿地中有琼海博鳌、万宁石梅湾、万宁分界洲岛、陵水南湾猴岛、三亚蜈支洲岛、三亚亚龙湾、三亚东岛和西岛等著名近海与海岸湿地旅游区。库塘湿地中有松涛水库景区、牛路岭水库景区、尖峰岭天池景区等著名景区，还有许多正在开发的各类湿地旅游资源，如南丽湖湿地公园、新盈海上森林公园、海尾湿地公园等。

三亚河沿岸分布有红树林。我们对三亚河沿岸 18 家宾馆酒店价格进行调查，结果显示面向河景的标准双人间价格较无河景的房间高 5% 的价格(图 4-5)，反映了红树林湿地在旅游、观光中的景观资源价值。

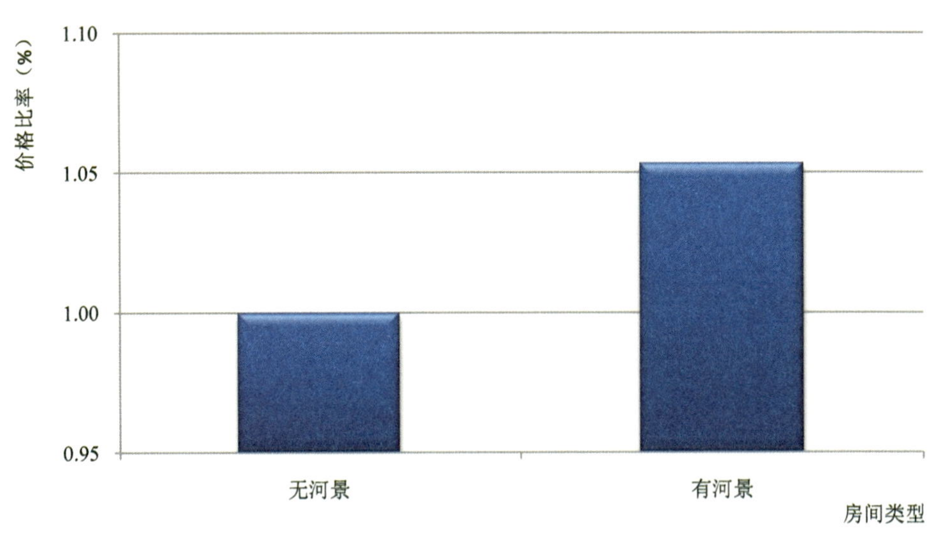

图 **4-5** 三亚河沿岸宾馆房间价格比较

第二节
湿地资源可持续利用前景分析

1　可持续利用的潜力

湿地为人类提供着重要的生态服务系统，被誉为“地球之肾”“生命的摇篮”“物种基因库”“鸟类乐园”，不仅为人类生产、生活提供多种资源，如粮食、肉类、鱼类、药材、能源以及各种工业原料，还在抵御洪水、减缓径流、蓄洪防旱、降解污染、调节气候、维持生物多样性等方面有着重要作用。湿地是具有多种功能的独特生态系统，是重要的自然资源和人类生存环境资本，在支撑人类社会和谐发展和自然系统有序循环等方面有着举足轻重的作用。根据千年生态系统评估(The Millennium Ecosystem Assessment)框架，将湿地生态系统服务功能分为供给服务、调节服务、文化服务和支持服务等四个方面。

1.1　提供服务

1.1.1　提供淡水

水是生命之源，生命起源于水生环境，人类的生存和发展离不开水。2011 年海南地表水资源总量 474.7 亿立方米，多年平均水资源量 303.7 亿立方米，丰富的水资源保障了全省城乡工农业生产和人民生活对水资源的需求。2011 年全省总用水量 44.48 亿立方米，人均综合用水量 490 立方米。2011 年全省人均水资源量为 5229 立方米，多年平均人均水资源量为 3345 立方米。万元 GDP 用水量 176 立方米。

1.1.2　提供食物和原材料

湿地是地球上生产力最高的生态系统，为人类提供了丰富的食物和生产生活原材料，包括稻谷、鱼虾、水果、蔬菜、药材、盐、建材、泥炭、树脂和生物化学品等。

海南省湿地资源丰富，河口、浅海面积大，水产资源丰富，加之良好的水域理化性状和优越的气候条件，水产养殖业发达，是全国水产养殖的重要省份，水产养殖规模与产值一直位于全国前列。2011 年海南省水产品总产量达 173.6 万吨，海洋捕捞产量、海水养殖产量和淡水养殖产量分别为 115.83 万吨、19.69 万吨和 35.94 万吨。

海南省盐田面积 4878.02 公顷，大型盐场主要分布在海南岛西部地区，如三亚市、乐东县、儋州市等均分布海盐晒场，其中乐东县的莺歌海是海南最大的传统盐场，提供了大量的盐产品。

1.1.3　保护遗传资源

湿地是陆地与水体的过渡地带，因此，它同时兼具丰富的陆生和水生动植物资源，形成了其他任何单一生态系统都无法比拟的天然基因库和独特的生境，特殊的水文、土壤和气候提供了复杂且完备的动植物群落，生物多样性中蕴藏着丰富的遗传资源，在科学研究中都有重要地位，对于保护区域遗传资源，维持生物多样性具有难以替代的生态价值。

野生稻资源是水稻育种以及研制药物的重要种质资源，关系着我国人民的温饱问题，其资源状况具有十分重要的意义。海南是我国野生稻资源最丰富的省份之一，记录有普通野生稻、药用野生稻和疣粒野生稻3种野生稻。野生稻是典型的湿地植物，在海南的分布范围较广。保护好湿地对于保护这重要种质资源具有重要意义。

1.1.4 沿海港口、水运

海南内陆的河流均无水运，但沿海港口众多，如海口秀英港、儋州洋浦港、东方八所港、三亚三亚港等。海南是一个岛屿省份，约98%的进出岛物流必须通过海运(含过海轮渡)，90%的外贸通过港口。港口水运维系着海南的经济发展与对外交往。

1.2 调节服务

1.2.1 净化水体

湿地具有很强的降解污染功能，许多自然湿地生长的湿地植物、微生物通过物理过滤、生物吸收和化学合成与分解等把人类排入河流、浅海水域等湿地的有毒有害物质转化为无毒无害甚至有益的物质。湿地在降解污染和净化水质上的强大功能使其被誉为“地球之肾”。历史上全省广阔的湿地对降解城乡污染、农业面源污染，维护生态系统平衡和全省生态环境质量发挥了巨大的作用，但由于过度排放，全省许多自然湿地污染严重，湿地不堪重负，湿地的生态功能严重退化。

1.2.2 调节气候

湿地对区域气候有巨大的调节作用，《湿地公约》和《联合国气候变化框架公约》均特别强调了湿地对调节区域气候的重要作用。湿地的水分蒸发和植被叶面的水分蒸腾，使得湿地和大气之间不断地进行着能量和物质交换，从而保持当地的湿度和降水量。在有森林的湿地中，大量的降水通过树木被蒸发和转移，返回到大气中，然后又以雨的形式降到周围的地区。湿地在增加局部地区空气湿度、削弱风速、缩小昼夜温差、降低大气含尘量等气候调节方面都具有明显的作用。

1.2.3 缓解自然灾害

蓄洪防旱，缓解自然灾害。湿地在控制洪水，调节水流方面功能巨大，在蓄水、调节河川径流、补给地下水和维持区域水平衡中发挥着重要作用。海南共有大小水库2000多座，水库面积大于5万公顷的水库有2座，大于1000公顷的水库有13座。众多的水库在洪水季节调蓄洪水，保证了周边居民经济、生命安全。在干旱季节，为周边提供水源，保证居民生活用水和工农业生产用水。特别是松涛水库的建立，基本消除了南渡江下游常年发生的洪水灾害。

1.2.4 减轻侵蚀

湿地植被的自然特性可防止或减轻风力、波浪等对沿岸地区构成的巨大威胁，在江、河、海岸、农田湿地植被生长良好的地方，海浪的流速和冲击力都会减弱。在沿海地区，有些地方由于红树林被人为破坏消失，海岸因海浪冲击而毁坏，而红树林等湿地植被生长良好的地方，海浪的流速和冲击力都会减弱，使水中泥沙逐步沉淀形成新的陆地。红树林等湿地植物广泛用于保护堤岸，沿海生长的红树林在河口和沿海发挥了促淤造陆的积极作用，特别是引种的无瓣海桑繁殖力强，固土能力强，在防风固岸恢复海岸红树林方面起了重要作用。近年来，随着防洪工程设施的大量建造，大型江、河、湖岸多采用混凝土或条石硬化处理，大量水边湿地植被带被破坏。

1.2.5 调节水资源的时空分布

湿地对于调节海南水资源的时空分布不均具有重要的作用，特别是库塘湿地，可将雨季的雨水及河川径流留存下来，在旱季时使用。另外，还有沼泽湿地，在雨季时可将雨水吸收，在旱季时流出补充到河川径流中，保证河流湿地的水资源状况。

1.3 文化服务

1.3.1 休闲和生态旅游

随着人们生活水平的提高，人们亲近自然、回归自然的要求也越来越高，而湿地恰能为人们的这种需求提供一个理想的归宿。目前，湿地旅游已成为旅游业的新热点，海南的沿海湿地资源丰富，具有许多著名的湿地旅游风景区，琼海博鳌、万宁石梅湾、万宁分界洲岛、陵水南湾猴岛、三亚蜈支洲岛、三亚天涯海角景区、三亚亚龙湾、三亚东岛和西岛等著名近海与海岸湿地旅游区。库塘湿地中有松涛水库景区、牛路岭水库景区、尖峰岭天池景区等，丰富的湿地资源吸引了众多的游人纷至沓来。

1.3.2 教育价值

湿地生态系统、丰富的水生动植物及其遗传基因，为教育和科学研究提供了宝贵的实验基地。湿地保护区、湿地公园等是宣传湿地知识，开展湿地科普教育的重要地点，是人们认识湿地、体验湿地的重要场所。

1.3.3 美学和文化价值

湿地景观所具有的美学价值特别高。各类湿地给人不同的美，有波澜壮阔的壮美、宁静致远的秀美等。海南湿地的文化价值主要体现在疍家文化上，以舟为楫，以船为舱是疍家人与湿地共处的生活方式，渔排、船只和生活方式是最有代表性的湿地景观元素，充分体现了人类与湿地协调共处的生态意义，对于区域景观美学价值的实现和维持具有非常重要的意义。

有些湿地是重要生产、生活的发生地，如莺歌海盐场、儋州千年盐田等。

1.4 支持服务

1.4.1 提供物质资料

湿地提供的物质资料很丰富，主要有水、粮食、建筑材料等。人类生存所需要的水，包括饮用水、生活用水、工农业用水都依赖湿地的供给；人类生存所需要的食物如大米、鱼虾、水果、蔬菜等依赖湿地的供给；湿地还提供人类建筑材料如河砂、木材、竹材等。

1.4.2 水循环的表现形式

地球上的水在太阳辐射和重力作用下，以蒸发、降水和径流等方式进行的周而复始的运动过程成为水循环。各种类型的湿地是地球水循环过程中的主要表现方式，也是海陆间大循环和陆地—大气小循环的主要媒介。

1.4.3 提供栖息地

湿地能够为某些物种提供完成其全部或部分生命循环所需的全部因子。自然湿地生态系统可分为岩岸生态系统、沙土海岸生态系统、泥滩海岸生态系统、沼泽生态系统、淡水生态系统、人工生态系统。自然湿地为大量动植物提供了栖息场所。

1.4.4 提供陆地

全球气候变化导致海平面上升，位于沿海区域的陆地会被淹没，分布在沿海区域的湿地资源，如岩石海岸、红树林等湿地会延缓海水淹没陆地的速度，保证陆地存在。此外，分布于海口羊山地区的地下水湿地资源对于维持陆地也起着重要的作用。若过量开采地下水，则会引起沉降问题，全国有近70个城市因不合理开采地下水诱发了地面沉降，沉降范围6.4万平方公里，沉降中心最大沉降量超过2米的有上海、天津、太原、西安、苏州、无锡、常州等城市。陆地物质在水文过程中进入湿地系统，经过物理化学过程，沉淀形成新的土壤。海南湿地对于土壤形成的作用主要表现在南渡江、昌化江、万泉河等河流形成冲积平原等。

1.4.5 生物地球化学循环

在地球表层生物圈中，生物有机体经由生命活动，从其生存环境的介质中吸取元素及其化合物(常称矿物质)，通过生物化学作用转化为生命物质，同时排泄部分物质返回环境，并在其死亡之后又被分解成为元素或化合物(亦称矿物质)返回环境介质中。湿地作为全球三大生态系统之一，具有很高的生物多样性和生产力，是生物地球化学循环发生的最为重要的场所。最具代表性的化学循环是碳循环，导致全球气温变暖的主要原因是二氧化碳过多，湿地由于其特殊的生态特性，在植物生长、促淤造陆等生态过程中积累了大量的无机碳和有机碳，由于湿地环境中，微生物活动弱，土壤吸收和释放二氧化碳十分缓慢，形成了富含有机质的湿地土壤和泥炭层，起到了固定碳的作用。如果湿地遭到破坏，湿地固定碳的功能将大大减弱或消失，湿地将由“碳汇”变成“碳源”，对全球气候将产生重大影响。

2 可持续利用优势

2.1 湿地类型丰富、分布广阔

海南省符合起调标准的湿地有5类18型，分别占《全国湿地资源调查技术规程(试行)》中湿地分类对应类型的100%和52.9%。近海与海岸湿地囊括了浅海水域、潮下水生层、珊瑚礁、岩石海岸、沙石海滩、淤泥质海滩、红树林、河口水域、三角洲/沙洲/沙岛、海岸性咸水湖等10种湿地型。不同的湿地类型使人们可以采取不同的利用方式，获得不同的需求，如沿海的水产养殖、渔业捕捞；红树林、珊瑚礁等可以满足人们休闲娱乐、美学观赏的需求；内陆库塘起到蓄水防洪的作用。

海南岛湿地分布广泛，内陆河网密布，沿海区域的近海与海岸湿地面积广阔；人工湿地中面积最大的是库塘，在各个市县均有分布；水产养殖场在沿海台地分布密集，利用程度高；西部地区沿海盐田湿地分布较多，其中莺歌海盐田是海南岛最大盐田；另外，海南少量的湖泊湿地和沼泽湿地分布，较典型的如海口羊山地区永久性淡水湖泊、万宁乐山草本沼泽等。

2.2 热带区域特色明显

海南岛地处热带—亚热带区域，近海与海岸湿地中的红树林、海草和珊瑚礁具有典型的热带特点，是我国不可多得的湿地资源。其中仅在海南岛分布的水椰和红榄李是典型的热带红树物种，且集中分布在海南岛东南沿海一带，万宁青皮林保护区内分布有较大面积的水椰单优集群。海草床是潮下水生层湿地的典型代表，海南岛属于热带海洋季风气候，拥有众多的泻湖、港湾、河口，适宜的环境为海草生长繁衍提供优越条件，海南岛沿岸海域拥有丰富海草资源。珊瑚礁湿地也是典型的热带湿地资源，在海南多处水域都有珊瑚礁湿地的分布，且海南记录的珊瑚物种数量是我国最多的省份之一。

2.3　湿地生态功能显著、生态价值巨大

海南作为一个岛屿省份，湿地对于维持整个海南岛屿生态系统发挥了重要的功能。湿地可提供动植物产品等食品，如水稻、鱼虾等经济物种；也发挥休闲和旅游价值，如南丽湖国家湿地公园、三亚大东海、三亚天涯海角等都是人们休闲旅游的胜地，为人们提供欣赏湿地景观，享受自然的良好场所。此外，湿地还间接发挥了物种保护价值和生态保护价值，如东方四必湾的红树林湿地是国际珍稀濒危鸟类黑脸琵鹭重要的栖息地、越冬地，为保护研究该物种提供了重要的场所；另外海南沿海的红树林、岩石海岸，为保持水土、防风抗灾发挥了重要的作用。

3　可持续利用保障措施

3.1　政策、体制及法律法规保障

通过完善的政策和法制体系保护湿地生态系统，实现湿地资源可持续利用。应建立行之有效的湿地管理的经济政策体系对保护湿地、促进湿地资源的合理利用具有极为重要的意义。加快制订相关条例，以法规的形式，规定湿地保护及可持续利用的方针和原则、湿地保护的管理程序，明确各职能部门的管理分工，以及违法行为的处理方法等。为从事湿地保护与合理利用的管理者、利用者等提供基本的行为准则。同时，通过建立对威胁湿地生态系统活动的限制性政策和有利于湿地资源保护活动的鼓励性政策，协调湿地保护与区域经济发展之间关系，最大限度地发挥湿地的综合效益。

3.2　保护与利用协调机制

湿地保护管理涉及多个行业与领域，牵涉到多个行政职能部门。应通过相关部门之间建立协调和合作，促使湿地保护工作的顺利开展。成立由多部门参与的湿地保护管理与合理利用领导小组，负责湿地保护与开发利用的决策与重大事宜协调。日常事务工作由省林业厅承担，并通过部门间协调一致的湿地保护联合行动，使政府及部门决策时能够注重评估湿地的自然价值、生态功能及其生产力和生物多样性的综合效益。

通过利益相关方的参与，妥善协调不同部门与利益集团的利益。提高政府、非政府组织、当地社区在湿地保护和合理利用方面的能力，加强湿地周围区域各有关机构之间的交流与协调，建立部门间的公共决策协商机制，以采取协调一致的湿地保护行动；探索湿地的合作共管等新型综合管理途径，鼓励并引导当地居民和社区组织积极参与湿地保护工作，使公众在湿地保护中受益，同时进一步提高民众的湿地保护意识。

3.3　湿地利用生态影响评估体系

建立对天然湿地开发以及用途变更的生态影响评估、审批管理程序，实施湿地开发项目的生态影响评价制度，严格依法论证、审批并监督实施。人类活动对湿地影响评价，应着重分析开发

活动对湿地资源、生态系统、生物多样性所造成的影响。通过湿地生态影响评价，避免人为大规模地破坏湿地生态系统的行为，以达到更好的保护和利用的目的。

由于湿地开发后对环境的影响是渐进的、累积的过程，只有当湿地资源开发到一定规模，污染积累达到一定程度，对生态环境影响才会明显体现，但此时可能已造成巨大的、不可逆转的损失。因此，对湿地资源利用影响评价也要有一个连续不断的过程，对于湿地资源开发生态影响评价，不能仅仅局限于本建设项目的生态影响评价，更应着眼于累积效应的评价，否则，单个建设项目均顺利通过影响评价，而湿地区域的整体生态环境质量仍会造成恶化。所以，在开展湿地资源开发环境影响评价时，不仅要注意时间积累的影响效应，而且更应该注意数量和空间的积累效应，只有这样，湿地资源开发生态环境影响评价才能更全面地反映现实影响。

3.4　加强科学研究

湿地科学研究是认识和了解湿地的主要途径，也是促进湿地保护和可持续利用发展的重要保障。政府部门应加强对湿地保护科学研究工作的重视和支持，借助于科研院所、高等院校的科研力量，结合海南湿地资源现状，展开湿地的基础性研究、湿地应用技术研究、人类活动对湿地生物多样性和湿地生态功能的影响以及外来物种、湿地环境污染源、自然灾害对湿地生态系统的影响等，为湿地的保护与持续利用提供科技支撑。

3.5　资金支持

通过加大财政对湿地保护区专项工程资金的投入，进一步完善保护区建设，加强红树林资源调查，加强湿地自然保护区生物多样性监测与预警体系的建设，完善相关信息数据库。

加快建立湿地生态补偿机制，推动湿地保护工作顺利展开，保障湿地保护管理走上可持续发展道路。

第五章 湿地资源评价

第一节 湿地生态状况

湿地生态状况直接反映湿地生态系统的健康水平，也是评价湿地生态功能是否正确发挥和满足人类需要的重要依据。湿地生态状况是湿地综合生态价值的体现，所以难以从单一因子对其进行价值评估。根据调查结果，本章将从湿地自然状况（湿地景观、水环境和森林状况）和社会状况（人类干扰和保护现状）等方面对湿地生态状况进行综合评估。

1 自然状况

1.1 湿地景观

根据湿地型数量、湿地面积和生态价值对海南岛湿地进行价值评估，可以发现湿地价值高的区域主要为全岛沿岸重要湿地（红树林、珊瑚礁和海草场）和永久性河流区域（图 5-1）。由于这些区域的湿地生态服务价值高，且均为天然湿地类型，而其他沿海湿地（如岩石海岸、沙石海滩、淤泥质海岸和近海海域）虽然为水鸟及近海鱼类提供了极佳的栖息条件，但难以向岛上居民提供生产生活必需的淡水资源，其生态服务价值也相对较低；在山地和台地交界的水库作为人工湿地，其湿地价值相对天然湿地也较低。

1.2. 水文状况

海南岛河川径流的补给主要来自大气降水。海南岛雨量充沛，全岛多年平均降水量为 1755 毫米，折合水量为 599.0 亿立方米，是我国降水量较多的省份，但全岛降水的时空分布不均匀，东部降水多于西部，自东向西递减。一年之内有明显干湿季节，雨季为 5～10 月，旱季为 11～4 月，雨季降水量占年雨量 60% 以上。

海南岛地势中高周低，河流多而短小，呈放射状水系。大多数河流，由于流程短，坡降大，入海快，大量的水资源流入大海，全岛多年平均径流深为 909.0 毫米，折合径流量为 310 亿立方米，平均径流系数为 0.52。径流年内分配受降水支配，径流变差系数 Cv 为 0.50 左右，是珠江片

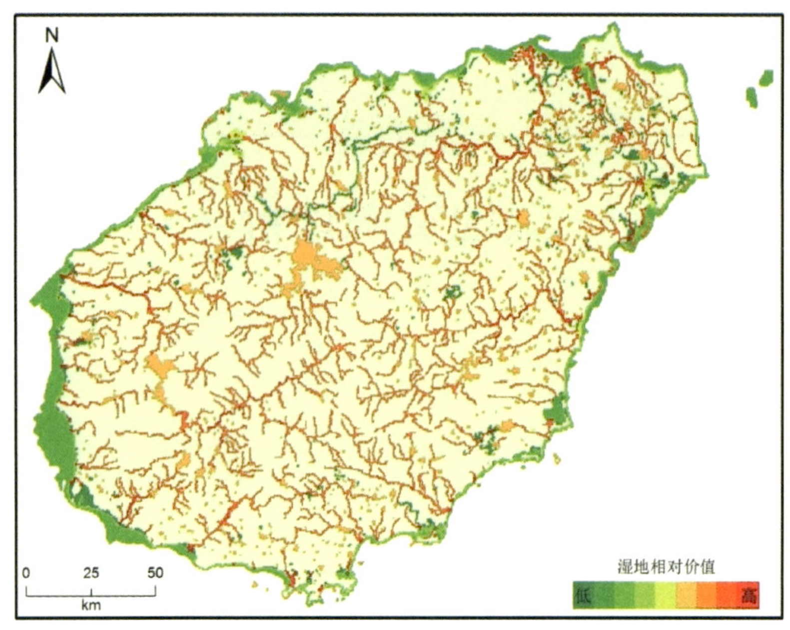

图 5-1 海南岛湿地景观价值

区最大的。所以在雨量集中、多暴雨条件下，河流水位容易暴涨暴落，流量变化急剧，易发生洪涝灾害。另外，岛中、南部花岗岩，由于岩石坚硬致密，抗蚀力强，常形成陡峭的山地，而且因风化壳松散偏砂，其下原岩不透水，易产生地表散流与暴流，且因节理丰富，产生球状风化，地表水与地下水沿节里活动，逐步形成密集的沟谷与河谷。

1.3 水环境状况

根据 2013 年海南省环境状况公报，在全岛河流、水库和近海湿地共布设 166 个水质监测站位(图 5-2)。其中在河流共 87 个监测站位中，90.8% 达到地表水 III 级(饮用水)标准(表 5-1)，但在三亚河和五指山市南圣河水质为 V 级水，只满足农业用水区及一般景观要求；在水库 14 个站位中，92.3% 达到地表水 III 级标准，临高尧龙水库和文昌和铁水库水质为 IV 标准，只适用于一般工业用水区及人体非直接接触的娱乐用水；在沿海 53 个站位中，有 58.5% 达到 I 级标准，Ⅲ、Ⅳ类海水主要出现在三亚河入海口、海口秀英港和万宁小海附近海域，主要受城市生活污水、港口废水和海上集中养殖区废水影响。

表 5-1 海南岛湿地水质状况统计

类 型	Ⅰ		Ⅱ		Ⅲ		Ⅳ		Ⅴ	
	数量	比例	数量	比例	数量	比例	数量	比例	数量	比例
河流	0	0.0	48	55.2	31	35.6	6	6.9	2	2.3
水库	0	0.0	12	46.2	12	46.2	2	7.7	0	0.0
近海	31	58.5	19	35.8	1	1.9	2	3.8	0	0.0
合 计	31	18.7	79	47.6	44	26.5	10	6.0	2	1.2

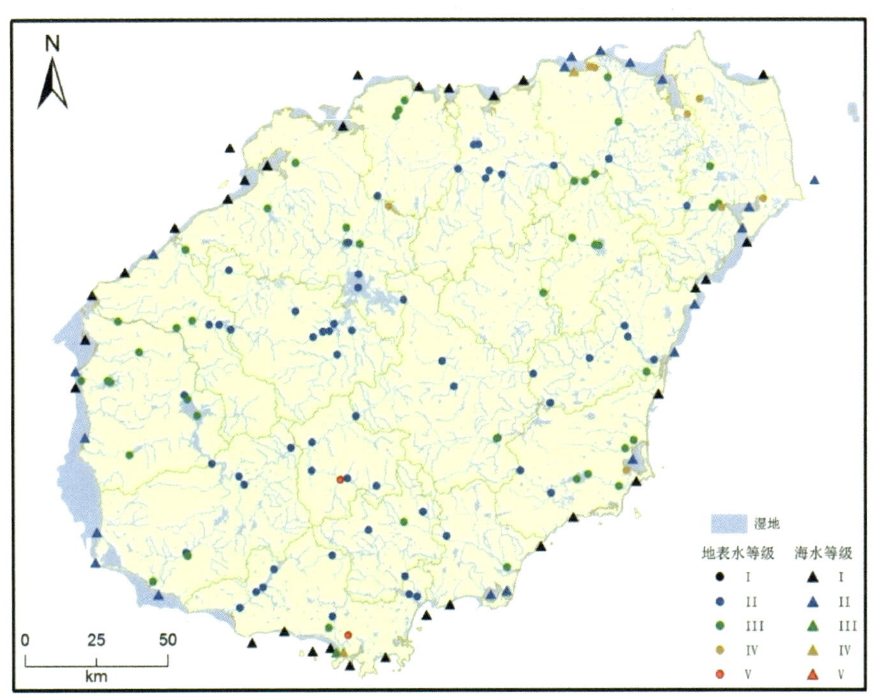

图 **5-2**　海南岛湿地水质状况
（资料来源：**2013** 年海南省环境状况公报）

土壤对地表积水状况、水的理化性质等具有很大的影响，特别是水酸碱度、矿化度、透明度等。海南岛土壤主要包括砖红壤、赤红壤、黄壤、燥红土、滨海砂土和水稻土等土类。其中平原地区以砖红壤为主，是当地河流、湖泊等湿地水的酸碱度主要影响因子。中南山区以黄壤为主，是水源林和天然热带雨林分布区，表土多有腐殖质层，被雨水淋溶，对河流上游溪水的理化性质具有重要的影响。稻田一般与河流、水沟、库塘、湖泊等其他湿地相邻接，耕作使用的化肥、农药等通过淋溶进入到其他湿地，对其他湿地的营养及理化性质同样具有重要的影响。

1.4　森林状况

据海南省森林生态系统保护战略与行动计划，截至 2010 年，全省有林地面积 207.2 万公顷（其中天然林 65.9 万公顷、人工林 121.9 万公顷、灌木林 19.4 万公顷）；森林蓄积量达 1.25 亿立方米，森林覆盖率达 60.2%。实施封山育林 36.7 万公顷，使热带天然林得以恢复和发展，天然林面积从建省初期的 38 万公顷，增加到 65.9 万公顷。

海南岛的天然乔木林主要分布于尖峰岭、五指山、吊罗山、霸王岭等国家级保护区及鹦哥岭、猕猴岭等省级自然保护区，其主要分布于海南岛中南部地区（图 5-3）。此外近几十年来，天然乔木林分布区总体上呈现向中海拔山地萎缩的趋势。在 0 ~ 400 米海拔区间内的天然乔木林占全岛面积的比例从 1975 年的 72.4% 减少至 2012 年的 60.8%。由于人类干扰强弱的差异，海南天然乔木林分布区还呈现向地形复杂地带收缩的趋势。分布在坡度大于 20°以上区域的天然乔木林占全岛面积的比例从 1975 年的 21.5% 增加至 2012 年的 26.4%（表 5-2）。

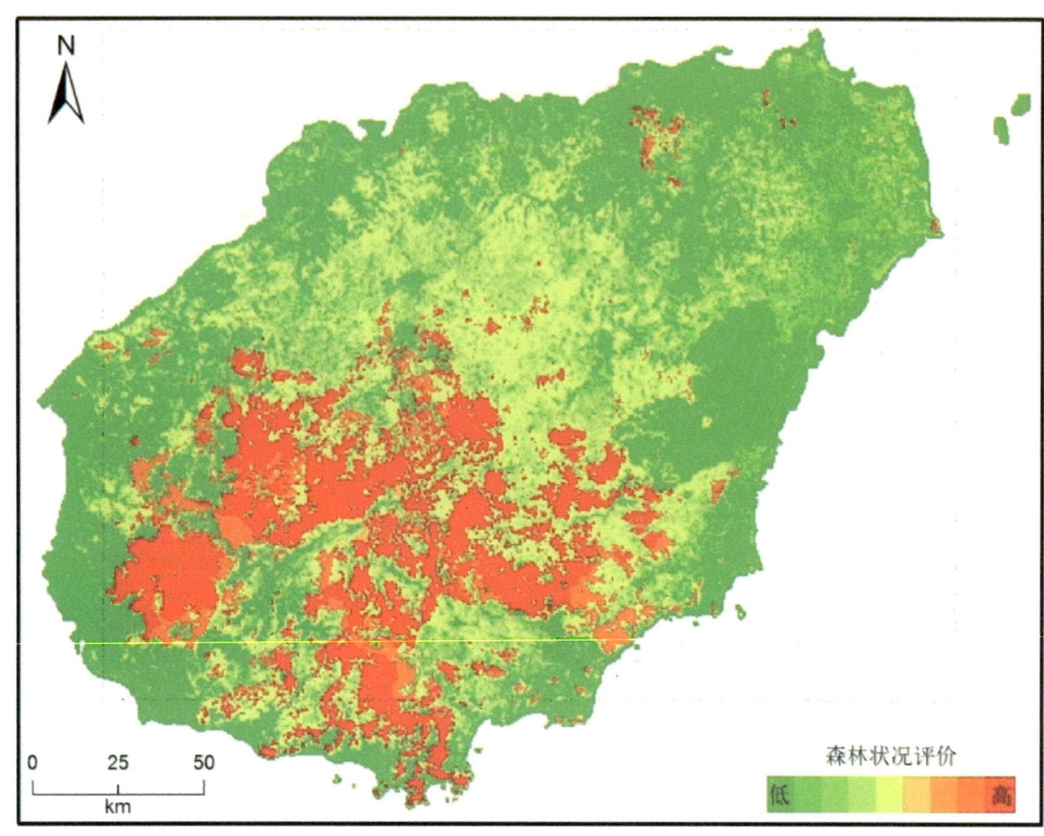

图 5-3 海南岛森林状况

表 5-2 海南岛天然林分布状况

内 容	区 间	天然林(%)		
		1975 年	1993 年	2012 年
海拔(米)	0～400	72.4	64.6	60.8
	400～800	21.5	34.2	32.2
	800～1200	5.4	1.2	6.2
	1200～1600	0.7	0	0.7
	>1600	0	0	0
坡度(°)	0～10	36.1	22.2	27.5
	10～20	42.4	52.3	46.0
	20～30	20.2	24.6	24.9
	30～40	1.3	1.0	1.5
	40～50	0	0	0

2 社会状况

2.1 人类干扰

海南岛人类干扰主要集中于琼北地区，包括海口、文昌、定安、琼海、临高和儋州等市县。沿海地区，除白沙、琼中、定安、屯昌、五指山和保亭等以外的市县(图 5-4)。由于开发历史早，地形平坦，交通方便等原因，这些区域人口密度较大、城市化程度较高，以致对湿地的利用和干扰也较为严重，尤其以房地产开发和旅游业发展等干扰最为显著。

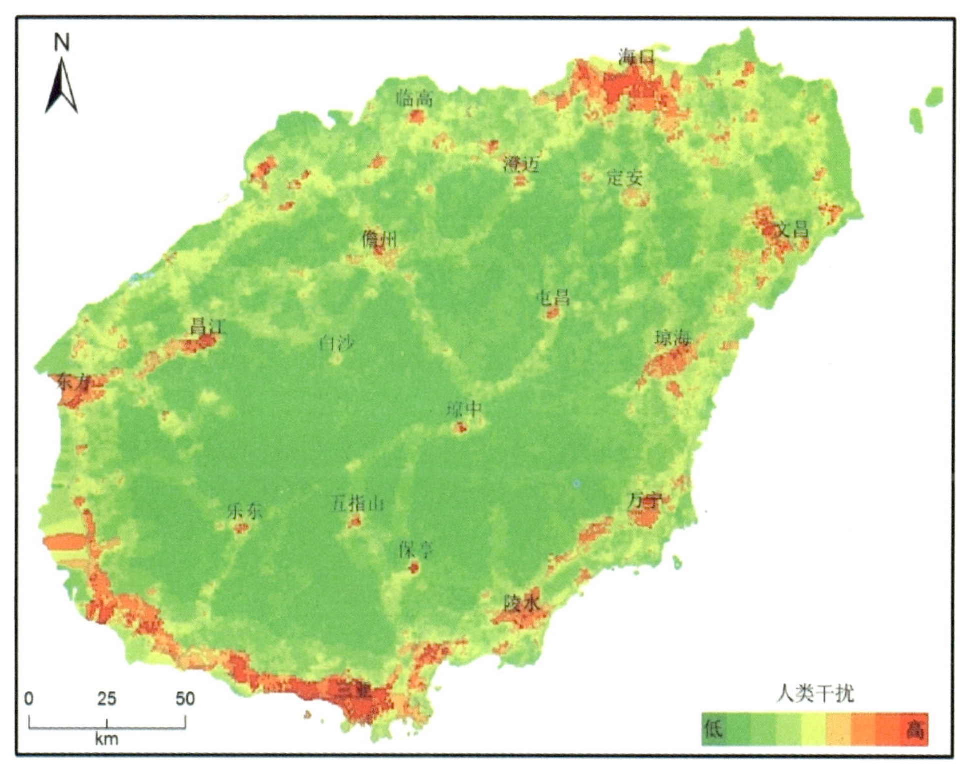

图 5-4 海南岛人类干扰现状

此外，这些地区在城市建设和开发中除直接侵占湿地资源外，同时也间接地在侵蚀、污染着湿地，如沿海高尔夫球场的设立，工农业生产排污等。由于沿海区域人类干扰程度大，如浅海水域、海湾、河口、珊瑚礁、海草床、红树林等典型生态系统都受到不同程度的干扰，使得生态系统的健康状况呈下降趋势。主要生态问题是生境改变、渔业资源衰退、生物群落结构异常和环境污染。海南近海海域水质由于受到养殖业和污染物的排放的影响，已呈现富营养化的趋势(陈义，2013)。

2.2 保护状况

海南目前已建立各类自然保护区 51 个，其中国家级 9 个，省级 24 个，市级 12 个和县级 6

个，其中以湿地生态系统、湿地动植物及其生境作为主要保护对象的 23 个，属于国家级保护区的有 4 个，分别是东寨港自然保护区，铜鼓岭自然保护区、大洲岛自然保护区和三亚珊瑚礁自然保护区(表 5-3)。国家级和省级的湿地类型保护区分别为 4 个和 8 个，均少于非湿地类型保护区，而市级和县级的湿地类型保护区则分别有 7 个和 4 个，均多于非湿地类型保护区，故在湿地类型保护区保护体系中，需加大对中小型保护区和保护等级较低保护区的保护能力建设。

表 5-3 海南省各级湿地类型自然保护区统计(个)

类型 / 保护区级别	海洋海岸			野生动物		野生植物		森林生态	总　计	
	红树林	珊瑚礁	海洋	湿地	非湿地	湿地	非湿地		湿地	非湿地
国家级	1	2	0	1	2	0	0	3	4	5
省　级	1	0	0	5	2	2	1	13	8	16
市　级	4	1	0	2	3	0	0	2	7	5
县　级	2	0	1	1	0	0	0	2	4	2
总　计	8	3	1	9	7	2	1	20	23	28

分析自然保护区对海南岛天然湿地的保护状况(表 5-4，图 5-5)，发现这些保护区主要保护的湿地均属于近海与海岸湿地类的湿地，没有一个针对河流、湖泊、沼泽 3 大类湿地的自然保护区。其中，三角洲湿地没有一处纳入到保护区范围内；潮下水生层、淤泥质海滩和海岸性咸水湖等 3 类湿地各仅有 1 处纳入保护区内受到保护。此外，潮下水生层湿地保护区中的文昌、琼海麒麟菜保护区和沙石海滩湿地类保护区中的临高、儋州白蝶贝保护区建立至今仍处于无机构、无人员、无经费状态。

表 5-4 海南岛天然湿地保护状况(个)

保护区内湿地类型 / 保护区级别		国家级	省级*	市级	县级	合　计
近海与海岸湿地	1 浅海水域	3	6	2	2	13
	2 潮下水生层	1	0	0	0	1
	3 珊瑚礁	2	3	2	0	7
	4 岩石海岸	1	2	0	0	3
	5 沙石海滩	3	5	3	2	13
	6 淤泥质海滩	0	0	1	0	1
	7 红树林	1	2	3	2	8
	8 河口水域	1	1	1	1	4
	9 三角洲	0	0	0	0	0
	10 海岸性咸水湖	0	0	1	0	1

（续）

保护区内湿地类型 \ 保护区级别		国家级	省级*	市级	县级	合 计
河流湿地	11 永久性河流	7	12	6	1	26
	11a 面	6	9	6	1	22
	11b 线	6	6	1	0	13
	12 喀斯特溶洞湿地	0	0	0	0	0
	13 洪泛平原湿地	0	0	0	0	0
湖泊湿地	14 永久性淡水湖	0	0	0	0	0
沼泽湿地	15 草本沼泽	0	0	0	0	0
	16 灌丛沼泽	0	0	0	0	0
	17 森林沼泽	0	0	0	0	0
	18 地热湿地	0	0	0	0	0
	19 淡水泉	0	0	0	0	0
纳入保护区湿地类型数量		8	7	7	5	12

* 西南中沙群岛省级自然保护区和西沙东岛白鲣鸟省级自然保护区不在统计范围。

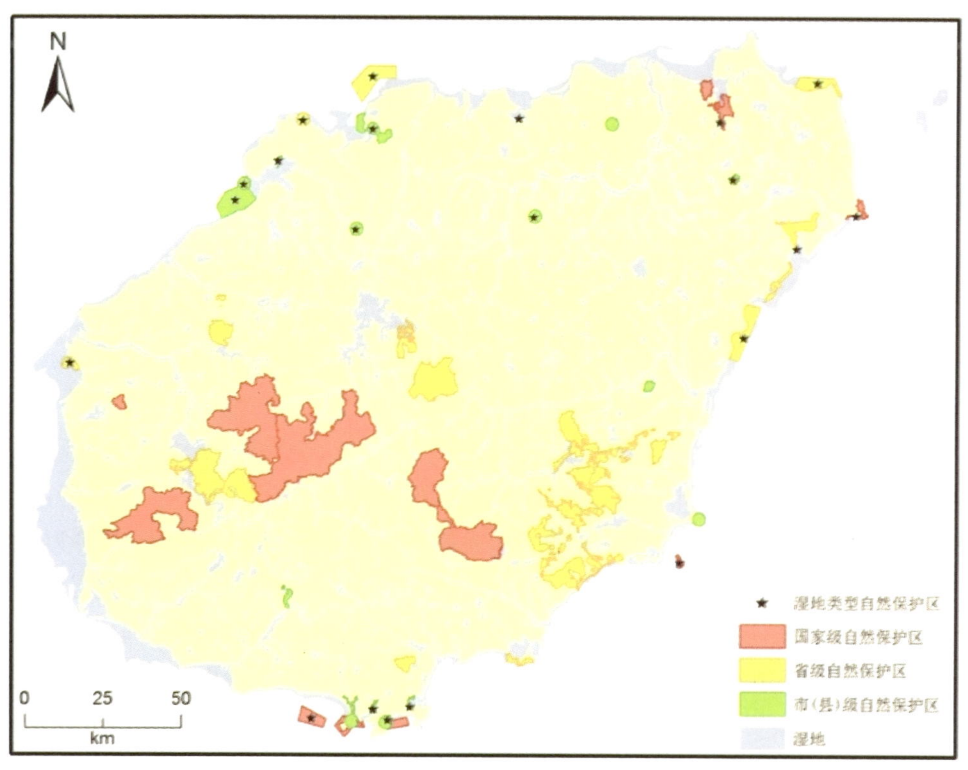

图 5-5 海南岛生态保护现状

3 综合评价

依据本次调查成果数据，综合利用反映湿地生态状况的自然湿地面积、生物多样性、水环境，及湿地利用和受威胁状况等方面指标，对本次调查湿地进行湿地生态状况的综合评价(表5-5)。根据综合得分，对重点调查湿地的生态状况进行综合评定，再利用统计学的自然断点法(natural breaks)对重点调查湿地的生态状况综合得分进行划分，分为好、中、差三个等级。

表5-5 指标体系权重表

<table>
<tr><th>一级</th><th>权重</th><th>二级</th><th>权重</th><th>三级</th><th>权重</th><th>因 子</th><th>级别</th><th>赋 值</th></tr>
<tr><td rowspan="9">自然指标</td><td rowspan="9">0.6</td><td rowspan="3">景观指标</td><td rowspan="3">0.10</td><td>自然湿地率</td><td>0.030</td><td>自然湿地面积/湿地总面积</td><td>5</td><td>1、3、5、7、9</td></tr>
<tr><td>湿地密度</td><td>0.012</td><td>平均斑块面积/湿地总面积</td><td>5</td><td>1、3、5、7、9</td></tr>
<tr><td>湿地斑块密度</td><td>0.018</td><td>湿地斑块数/湿地总面积</td><td>5</td><td>1、3、5、7、9</td></tr>
<tr><td rowspan="3">生物多样性指标</td><td rowspan="3">0.45</td><td>单位面积物种多度</td><td>0.108</td><td>物种数量/湿地面积</td><td>5</td><td>1、3、5、7、9</td></tr>
<tr><td>植物覆盖度</td><td>0.108</td><td>植被面积/湿地面积</td><td>5</td><td>1、3、5、7、9</td></tr>
<tr><td>外来物种入侵</td><td>0.054</td><td>有、无</td><td>2</td><td>2、8</td></tr>
<tr><td rowspan="3">水环境指标</td><td rowspan="3">0.45</td><td>污染物</td><td>0.054</td><td>有、无</td><td>2</td><td>2、8</td></tr>
<tr><td>富营养</td><td>0.081</td><td>贫、中、富3级</td><td>3</td><td>8、5、2</td></tr>
<tr><td>水质级别</td><td>0.135</td><td>Ⅰ、Ⅱ、Ⅲ、Ⅳ、Ⅴ5级</td><td>5</td><td>9、7、5、3、1</td></tr>
<tr><td rowspan="4">人为干扰指标</td><td rowspan="4">0.4</td><td rowspan="2">社会指标</td><td rowspan="2">0.40</td><td>人口密度</td><td>0.064</td><td>人口数量/重点调查面积</td><td>5</td><td>1、3、5、7、9</td></tr>
<tr><td>利用情况</td><td>0.096</td><td>工(旅游)、农、水、未4级</td><td>4</td><td>3、5、7、9</td></tr>
<tr><td rowspan="2">威胁指标</td><td rowspan="2">0.60</td><td>威胁因子数量</td><td>0.084</td><td>数量</td><td>10</td><td>“10－数量”</td></tr>
<tr><td>威胁程度</td><td>0.156</td><td>安全、轻、重3级</td><td>3</td><td>8、5、2</td></tr>
</table>

在全省35个重点调查湿地中，综合评价为“好”的共有13个，“中”的有9个，“差”的有13个(图5-6，表5-6)。评价为“好”的重点调查湿地均属于近海与海岸湿地湿地，且大部分均分布有红树林湿地，如青皮林、三亚市青梅港、洋浦港、东寨港和三亚铁炉港等，表明海南红树林湿地的生态状况良好，在海南湿地生态系统生态价值服务中发挥着十分重要的作用。评价为“差”的重点调查湿地主要分为4类：①以东海岸与西海岸湿地为代表的近海与海岸湿地，这是由于除沿海湿地保护区对红树林、海草场等重点湿地类型受到重点保护以外，海南岛漫长海岸线的生物多样性密度较低、受人类干扰强度较大而造成的；②城市附近受人类干扰较大的湿地，如三亚河、三亚珊瑚礁和新村港与黎安港等；③以水库等人工湿地为主要湿地类型的重点调查湿地，如番加、松涛水库和上溪；④以河流湿地为主的森林生态系统保护区，如尖峰岭、黎母山、吊罗山和尖岭等保护区。

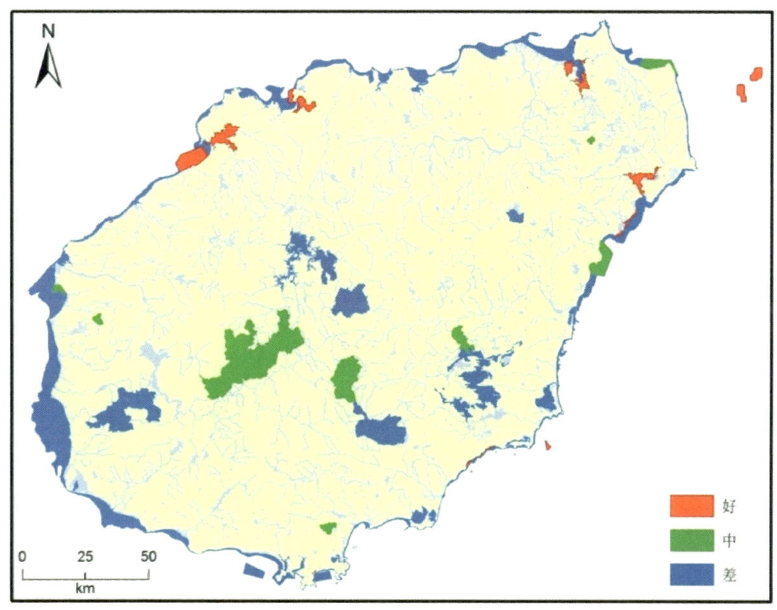

图 **5-6** 海南岛各重点调查湿地综合评价分布

将海南岛划分为500米×500米网格，根据全岛气候(年降水量、年蒸发量、雨季降水量、旱季降水量和台风频次)，森林(覆盖率、起源、自然度和成熟度)，湿地(湿地型数量、湿地面积和生态价值)，人类干扰(人口密度、生态足迹和土地利用)，保护现状(保护区和公益林)等计算每个网格的湿地综合价值(图5-7)。可发现在湿地综合价值最高的地区主要为全岛沿海地区、三大河流的干流和中南部山地地区，充分说明这些区域对维系海南岛湿地生态系统稳定具有举足轻重的作用。

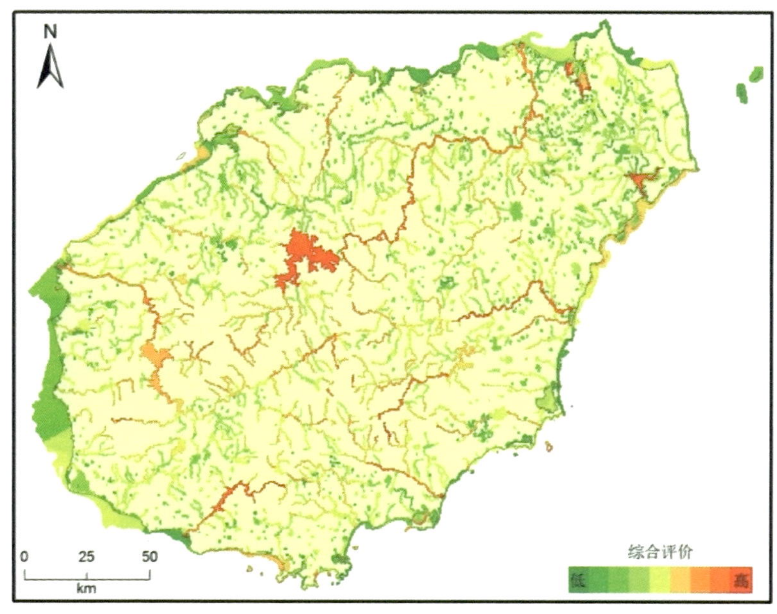

图 **5-7** 海南岛湿地生态综合评价

表 5-6 各重点调查湿地综合评价

重点调查湿地	自然状况									人为干扰				总　分	综合评价
	景　观			生物多样性			水环境			社　会		威　胁			
	自然湿地率	湿地密度	湿地斑块密度	单位面积物种多度	植物覆盖度	外来物种入侵	污染物	富营养	水质级别	人口密度	利用情况	威胁因子数量	威胁程度		
青皮林	9	5	5	7	9	8	8	8	9	3	9	9	8	1.878	好
三亚市青梅港	9	7	3	3	9	8	8	8	9	7	7	7	5	1.618	好
洋浦港	7	1	3	3	3	8	8	8	9	5	9	7	8	1.558	好
东寨港	9	3	3	3	7	8	2	8	7	5	9	8	8	1.539	好
三亚铁炉港	9	7	5	7	9	2	2	8	9	3	9	6	5	1.532	好
大洲岛	9	5	3	1	1	8	8	8	9	7	9	10	8	1.529	好
七洲列岛	9	7	1	1	1	8	8	8	9	7	9	10	8	1.528	好
彩桥红树林	9	7	3	3	1	8	8	8	9	5	9	7	8	1.507	好
清澜港	7	1	3	3	5	8	8	8	7	5	5	8	8	1.502	好
新英红树林	9	9	3	1	1	8	8	8	9	5	9	9	8	1.491	好
新盈红树林	9	5	3	5	5	8	2	8	9	7	9	6	5	1.482	好
磷枪石岛	9	3	3	3	1	8	8	5	9	5	9	9	8	1.479	好
海尾	1	9	5	9	5	2	8	5	7	3	3	8	8	1.470	好
五指山	9	9	9	9	1	2	2	8	9	1	9	6	8	1.454	中
名人山	1	9	7	9	1	8	2	8	5	3	9	8	8	1.440	中
东方黑脸琵鹭	7	3	3	3	3	8	2	8	9	5	5	8	8	1.431	中
会山	1	7	3	3	1	8	8	8	7	1	7	10	8	1.409	中

（续）

重点调查湿地	自然状况									人为干扰				总 分	综合评价
	景 观			生物多样性			水环境			社 会		威 胁			
	自然湿地率	湿地密度	湿地斑块密度	单位面积物种多度	植物覆盖度	外来物种入侵	污染物	富营养	水质级别	人口密度	利用情况	威胁因子数量	威胁程度		
大田	5	7	7	9	1	2	8	5	5	3	9	8	8	1.380	中
文昌麒麟菜	9	5	1	3	1	8	2	8	9	9	9	8	5	1.365	中
鹦哥岭	9	3	7	5	1	8	2	8	7	1	9	6	8	1.346	中
琼海麒麟菜	9	3	3	3	1	8	2	8	9	5	9	8	5	1.325	中
甘什岭	1	7	5	7	1	2	8	8	7	1	9	8	5	1.318	中
吊罗山	9	3	7	7	1	2	2	8	9	3	9	4	5	1.257	差
尖峰岭	5	7	5	7	1	2	2	8	7	1	7	4	8	1.239	差
黎母山	7	7	3	3	1	2	2	8	7	5	9	5	8	1.216	差
新村港与黎安港	7	3	3	1	3	8	2	5	7	3	5	7	8	1.193	差
尖岭	1	9	9	1	1	8	2	8	5	1	9	8	8	1.189	差
南丽湖	1	9	3	1	1	2	8	8	5	5	9	6	8	1.183	差
三亚河	7	5	3	3	7	8	2	8	3	1	5	7	5	1.157	差
三亚珊瑚礁	9	3	3	1	1	8	2	8	9	5	3	7	5	1.154	差
上溪	3	7	3	3	1	2	2	8	7	1	9	4	8	1.147	差
西海岸	9	1	1	1	1	8	2	8	9	7	5	4	5	1.141	差
东海岸	9	1	3	1	1	8	2	8	9	9	3	4	5	1.133	差
松涛水库	1	5	1	1	1	2	2	8	7	1	7	5	8	1.071	差
番加	1	9	1	3	1	2	2	5	7	1	7	4	8	1.047	差

(1)海南岛是我国最大的热带岛屿，漫长的海岸线为岛上居民提供着丰富和稳定的物质来源，沿岸红树林、珊瑚礁和海草场等在抗风减灾中也起到积极的作用。岛民对沿海湿地的利用方式也是十分多样，如水产捕捞、滩涂水产养殖、晒盐等传统的利用方式和房地长开发、旅游休闲设施及水上娱乐项目的开发等。

(2)海南岛地形中部高四周低，河流呈放射状水系，其河流短促、坡降大，难以形成典型的河漫滩湿地。但众多的河流是本岛陆地和海洋物质、能量流动的重要纽带，并为众多淡水鱼类和其他湿地动物提供良好的栖息环境。

(3)由于海南岛河川径流的补给主要来自大气降水，湿旱季分明、且河流短促，大型水利工程成为海南调节水资源时空分布的重要手段，其肩负着岛内居民生产生活用水的供水任务。这些水利工程往往形成库塘湿地，具备饮用水源地、灌溉、防洪、供水发电、通航、旅游等功能，还发挥着食物生产、动物栖息地和气候调节等的生态服务功能。

(4)海南岛中南部地区是全岛主要水系的主要发源地，是海南岛的“水塔”。单从湿地资源而言，仅有山涧溪流、水潭、森林沼泽或其他季节性湿地等面积较小的湿地类型，多数情况下甚至达不到起调面积，但该地区的森林茂密，对下游的湿地有着重要的影响。

①中南部山地是海南岛生物多样性最高的区域，季节性湿地的存在可以为区内湿地动物提供重要的栖息条件。如在鹦哥岭自然保护区中发现的季节性水潭，在季节性水淹时期，两栖类聚集其中求偶交配，其为该区两栖类的顺利繁衍提供了十分重要的场所。这都反映了中南部山地湿地在维系区内生物多样性方面的重要性。

②由于海南岛的降水主要依赖于大气降水，台风雨为其主要降水来源，然而台风又具有典型的季节性特点，只有在6～11月间的台风雨季才能为本岛提供降水，同时由于地形地貌的影响，海南岛的河流径流短，台风降水很快进入海洋。海南岛的中部及中南部分布的森林在涵养水源、保持水土方面起着重要作用，是下游湿地水资源的重要保障，该区域保证了海南岛湖泊、河流湿地资源的长久保持，是维持海南岛森林生态系统及湿地生态系统健康与长远发展的重要力量(陈义，2013)。

第二节 湿地受威胁状况

在海南省重点调查湿地中，主要受9类湿地威胁因子影响(表5-7)。其中过度捕捞和采集及污染的威胁面积最大，分别为3.01万公顷和2.03万公顷，占受威胁面积的39.32%和26.54%，受威胁的湿地主要是东海岸、西海岸、松涛水库和三亚珊瑚礁等面积较大的调查湿地。泥沙淤积、围垦及基建的威胁面积较少，三者合计虽然仅占受威胁面积不到10%，但是此类威胁对湿地的影响是不可逆转的，其对湿地的威胁程度较高。

表 5-7　各威胁因子面积及比例

威胁因子	面积(公顷)	比例(%)	代表湿地
基建和城市化	4360	5.69	洋浦港、青皮林、亚龙湾青梅港
围垦	1300	1.70	洋浦港、清澜港、东海岸、西海岸
泥沙淤积	1220	1.59	东海岸、彩桥红树林、西海岸
污染	20325	26.54	三亚珊瑚礁、东寨港、清澜港、松涛水库
过度捕捞和采集	30115	39.32	三亚珊瑚礁、琼海麒麟菜、临高白蝶贝
非法狩猎	5000	6.53	甘什岭、尖峰岭、吊罗山、番加、尖岭、大田
水利工程和引排水的负面影响	6140	8.02	番加、松涛水库、上溪
外来物种入侵	4925	6.43	尖峰岭、吊罗山、番加、松涛水库、上溪
其他	3200	4.18	洋浦港、东海岸、西海岸

(1)基建和城市化。沿海房地产和海湾的开发对沿岸的湿地造成影响，如青皮林自然保护区、亚龙湾青梅港红树林自然保护区。

(2)围垦。主要是通过围垦建立水产养殖场对红树林湿地的直接影响，如清澜港省级自然保护区。

(3)泥沙淤积。由于河流中上游地区的水土流失，在河流的入海口，常会形成泥沙淤积。尽管其也是形成湿地的来源之一，但过度的泥沙淤积会对河口湿地，特别是红树林湿地造成影响。如东寨港红树林、清澜港红树林和亚龙湾青梅港红树林等都遭到不同程度泥沙淤积的影响。

(4)污染。受污染的湿地有：东寨港河口水域、清澜港河口水域、黎安港河口水域等主要河流的入海口处，主要由水体污染、水体富营养化等造成赤潮，对海洋生态系统存在潜在影响。

(5)过度捕捞。分布在沿海的三亚珊瑚礁保护区、琼海麒麟菜保护区、文昌麒麟菜保护区、临高白蝶贝保护区、儋州白蝶贝保护区、儋州磷枪石岛珊瑚礁保护区等浅海水域都存在过度捕捞现象。

(6)非法狩猎。在自然保护区等重点湿地仍存在非法狩猎等情况，特别是内陆湿地保护区内，湿地动物都集中于面积不大的湿地中，极易成为捕猎者狩捕的对象，对保护区湿地动物的保护造成很大的压力。如尖峰岭和吊罗山国家级自然保护区以及甘什岭、番加和尖岭等省级自然保护区。

(7)水利工程和引排水的负面影响。海南如松涛水库和牛路岭水库等水利工程在保证居民生产生活用水的同时，也导致泥沙淤积，鱼类生物多样性及资源丧失等的影响。

(8)外来物种入侵。湿地入侵的外来物种主要有凤眼莲和有害鱼类等。如一些河道、水库，如松涛水库等生长着大量的凤眼莲；在多处河流和库塘湿地内发现有害鱼类入侵，如罗非鱼，甚至在海拔 900 米以上的溪流也发现其踪迹。

在分布有湿地斑块的 35 个重点调查湿地中，24 个湿地受威胁状况等级评价为安全，11 个湿地受威胁状况等级为轻度。

第三节 湿地资源变化及其原因分析

由于两次调查的起调标准不一，进行总面积的比较无实际意义，通过统一两次湿地类型的分类标准，对两次调查中湿地型的变化进行分析，得到两次调查间湿地资源的变化趋势。

1 湿地变化情况

1.1 总体变化情况

通过对比两次不同湿地型的变化趋势(表5-8)，第二次调查湿地总面积较第一次有所增长，增长率为2.42%。可见第二次调查中的浅海水域、潮下水生层、沙石海滩、河口水域、库塘等湿地型面积有较为明显的增长；而珊瑚礁、三角洲、海岸性咸水湖、永久性淡水湖等湿地型面积有较为明显地减少。

表5-8 两次调查湿地面积变化情况(公顷)

湿地型名称	第一次调查结果	第二次调查结果	面积变化	变化率(%)
浅海水域	81786.34	144695.05	62908.71	76.9
潮下水生层	230	502.55	272.55	118.5
珊瑚礁	19515.5	5283.36	-14232.14	-72.9
岩石海岸	4503	4355.27	-147.73	-3.3
沙石海滩	14373	26405.51	12032.51	83.7
淤泥质海滩	1050	992.55	-57.45	-5.5
潮间盐水沼泽	28808	—	—	—
红树林	4229	4736.05	507.05	12
河口水域	5166	6969.28	1803.28	34.9
三角洲	4123.82	22.82	-4101	-99.4
海岸性咸水湖	26322.01	7704.32	-18617.69	-70.7
海岸性淡水湖	155.32	—	—	—
永久性河流	34067	35108.59	1041.59	3.1
季节性或间歇性河流	61.73	未达起调标准	—	—
喀斯特溶洞湿地	—	未达起调标准	—	—
洪泛平原湿地	4367.28	4646.46	279.18	6.4
永久性淡水湖	17312	556.91	-16755.09	-96.8

（续）

湿地型名称	第一次调查结果	第二次调查结果	面积变化	变化率(%)
草本沼泽	10331.06	43.68	-10287.38	-99.6
灌丛沼泽	—	未达起调标准	—	—
森林沼泽	—	未达起调标准	—	—
内陆盐沼	694.94	—	—	—
地热湿地	117	未达起调标准	—	—
淡水泉	—	未达起调标准	—	—
库塘	55248.95	56738.18	1489.23	2.7
运河、输水河	—	840.63	—	—
水产养殖场	—	15562.14	—	—
稻田	—	—	—	—
盐田	—	4863.04	—	—
合　计	312461.95	320026.39	7564.44	2.4

1.2　同等起调标准变化情况

将第二次调查结果中≥100 公顷的湿地斑块进行统计，并与第一次调查数据进行比较(表 5-9)，结果显示第二次调查湿地总面积较第一次调查下降了 13.14%，其中海岸性咸水湖、永久性淡水湖、珊瑚礁、库塘和永久性河流有较显著的减少，而浅海水域、沙石海滩和河口水域有较显著的增长。

表 5-9　相同起调标准下(≥100 公顷)两次调查湿地型面积变化情况(公顷)

湿地型名称	第一次调查结果	第二次调查结果(≥100 公顷)	面积变化	变化率(%)
浅海水域	81786.34	144019.69	62233.35	76.09
潮下水生层	230	464.83	234.83	102.10
珊瑚礁	19515.5	4111.93	-15403.57	-78.93
岩石海岸	4503	3701.15	-801.85	-17.81
沙石海滩	14373	23989.44	9616.44	66.91
淤泥质海滩	1050	671.52	-378.48	-36.05
潮间盐水沼泽	28808	—	—	—
红树林	4229	2880.05	-1348.95	-31.90
河口水域	5166	6659.94	1493.94	28.92
三角洲	4123.82	—	—	—
海岸性咸水湖	26322.01	7704.32	-18617.69	-70.73

（续）

湿地型名称	第一次调查结果	第二次调查结果(≥100 公顷)	面积变化	变化率(%)
海岸性淡水湖	155.32	—	—	—
永久性河流	34067	21884.49	-12182.51	-35.76
季节性或间歇性河流	61.73	未达起调标准	—	—
喀斯特溶洞湿地	—	未达起调标准	—	—
洪泛平原湿地	4367.28	1580.47	-2786.81	-63.81
永久性淡水湖	17312	105.43	-17206.57	-99.39
草本沼泽	10331.06	—	—	—
灌丛沼泽	—	未达起调标准	—	—
森林沼泽	—	未达起调标准	—	—
内陆盐沼	694.94	—	—	—
地热湿地	117	未达起调标准	—	—
淡水泉	—	未达起调标准	—	—
库塘	55248.95	41711.16	-13537.79	-24.50
运河、输水河	—	234.66	—	—
水产养殖场	—	7594.26	—	—
稻田	—	—	—	—
盐田	—	4085.75	—	—
合 计	312461.95	271399.09	-41062.86	-13.14

1.3 生物多样性变化情况

通过对比两次湿地调查物种统计结果，发现由于两次结果存在明显的差异。

第一次湿地调查，根据历史调查结果和相关资料统计，得到海南岛的湿地区域内共有植物(蕨类植物、裸子植物、被子植物)409 种；其中红树植物 19 科 24 属 35 种。第二湿地调查，通过实地调查，并按照《中国湿地植被》(1999)的标准对海南岛湿地植物作了统计，得到湿地植物(蕨类植物、裸子植物、被子植物)247 种；其中红树植物 20 科 25 属 38 种。

第一次湿地调查结合文献记录统计得到鱼类 200 种，两栖类 13 种，爬行类 15 种，鸟类 116 种，哺乳类 3 种；第二次湿地调查实地记录得到鱼类 86 种，两栖类 15 种，爬行类 13 种，鸟类 58 种，哺乳类 5 种。

从物种数量上看，第一次湿地调查得到的物种多样性比第二次的要高。一方面，第二次湿地调查只统计了实地调查，第一次结合文献记录；另一方面，也反映这 15 年间，由于社会发展对影响了海南岛湿地的质和量，并进一步影响分布在湿地中的物种。总体上说，第二次加强了实地调查，数据可信度较第一次湿地调查要高。

1.4 保护状况的变化

1998~2013年，海南新成立的保护区有7个(表5-10)，其中针对湿地生态系统及与湿地生态系统相关的保护区有4个，分别是铁炉港红树林自然保护区、海南省猴猕岭省级自然保护区、海南东方黑脸琵鹭省级自然保护区、新村港与黎安港海草特别保护区。铁炉港红树林自然保护区位于三亚市林旺镇，保护区内主要以红树林生态系统为主，是针对红树林进行保护的保护区。海南省猴猕岭省级自然保护区位于东方市，与大广坝紧密相接，对大广坝具有重要的影响。海南东方黑脸琵鹭省级自然保护区位于东方市四更镇沿海，保护区内主要是浅海水域、红树林和水产养殖场等湿地类型，以黑脸琵鹭及其生境为保护对象。新村港与黎安港海草特别保护区位于陵水新村港与黎安港位于海南岛东南部，为海岸性咸水湖湿地类型，主要以海草为主要保护对象。另外，目前正在拟建海南儋州莪蔓盐丁湿地省级保护区，位于儋州莪蔓镇，主要以红树林、珊瑚礁等湿地生态系统为主要保护对象。

表5-10 1998~2013年海南省新建保护区

建立时间	保护区名称	市县	等级	类型	保护对象
1999	铁炉港红树林自然保护区	三亚市	市级	海洋海岸	红树林
2004	海南猴猕岭省级自然保护区	东方市	省级	森林生态	热带雨林、溶洞
2004	海南黎母山省级自然保护区	琼中	省级	森林生态	热带季雨林
2004	海南鹦哥岭省级自然保护区	白沙、琼中、五指山、乐东	国家级	森林生态	热带季雨林生态系统
2006	海南保梅岭省级自然保护区	昌江	省级	森林生态	热带雨林
2006	海南东方黑脸琵鹭省级自然保护区	东方市	省级	野生动物	黑脸琵鹭及其生境
2007	新村港与黎安港海草特别保护区	陵水	省级	—	—

2 不同湿地型的变化原因

2.1 浅海水域

本次对浅海水域调查不只是海南岛低潮线-6米等深线以内的浅海水域，还包括周边岛屿低潮线-6米等深线内的浅海水域，如文昌七洲列岛、万宁大洲岛、三亚蜈支洲岛等，第一次调查仅对海南岛本岛低潮时-6米等深线浅海水域进行了调查。当时由于技术的限制，对浅海水域的划分并不全面，如三亚的浅海水域某些区域就被忽略，而本次调查不存在这种现象。此外，由于划分标准的差异，第一次调查中将部分浅海水域划入到其他湿地型，如三角洲湿地，从而导致本次调查浅海水域面积增幅较大。

2.2 潮下水生层

由于第一次调查主要通过资料收集为主，当时对于海草床的分布和边界并不清晰，造成第一次调查记录面积较小，近年人们逐渐认识到海草床生态系统的重要性，相关研究也日渐增多，对于海南海草床的分布和边界也相对清晰，故本次调查在前人的基础上记录到了较第一次调查面积大的海草床。

2.3 珊瑚礁

通过对第一次调查的数据库进行分析验证，第一次湿地资源调查中珊瑚礁面积较大，达到19515.5公顷，这是由于当时缺少卫片解译的技术手段，特别是对于水下的湿地面积更是难以估计，第一次的珊瑚礁数据是将珊瑚礁保护区的面积作为珊瑚礁分布的面积，在一定程度上高估了珊瑚礁湿地的面积；客观原因上，人类活动对珊瑚礁的影响，在一定程度上造成珊瑚礁分布区域的萎缩。

2.4 潮间盐水沼泽与沙石海滩

本次调查中并无潮间盐水沼泽这一类湿地型的记录，通过对第一次调查数据中潮间带盐水沼泽的分布区进行现地验证和资料核对，湿地型误判为潮间盐水沼泽，实际中应该为沙石海滩、河口水域、水产养殖场等其他湿地型。造成第一次调查中潮间盐水沼泽面积偏高，导致沙石海滩和河口水域等湿地型面积偏低，所以造成第二次湿地资源结果中沙石海滩的增幅较大。

2.5 红树林

本次湿地资源调查与第一次湿地资源调查相比，红树林面积增加了507.05公顷，但实质第一次调查中将部分红树林划入河口水域和海岸性咸水湖，如东寨港的部分红树林被误判为河口水域、三亚河和榆林河的部分红树林误判为海岸性咸水湖。从第一次和本次红树林斑块叠加图层上看，本次调查东寨港、清澜港、临高马袅等地红树林有所减少，破碎化程度更高。

2.6 三角洲

三角洲湿地第一次调查中对其定义为：沿海河流冲积扇并发育有瓣状水系。由于当时主要是靠收集资料，存在很大的误判，把部分浅海水域、河口水域范围划入到其内，故造成第一次调查中此类湿地面积大，而浅海水域和河口水域面积小。

2.7 海岸性咸水湖

第一次调查中将大量的河口水域、红树林、永久性河流和水产养殖场误判为海岸性咸水湖，造成了第一次海岸性咸水湖面积计算偏高，如文昌清澜港、沙港琅的河口水域和水产养殖场、红树林误判为海岸性咸水湖；另外琼海坡头村的永久性河流和万宁龙滚河误判为海岸性咸水湖。是两次调查面积差异较大的主要原因。

2.8 永久性淡水湖

第一次调查中将许多库塘误判为永久性淡水湖，如儋州的龙伟水库、田尾水库和石马岭水库误判为永久性淡水湖，另外还有万宁的金钱水库、文子水库、陈占水库，海口的枫目水库误判为永久性淡水湖，是造成第一次调查中该湿地型面积较大的主要原因。

2.9　草本沼泽

第一次调查中许多草本沼泽的分布与数据都是参考资料，如第一次湿地调查中所列的大乃洋草本沼泽湿地、大寨洋草本沼泽湿地等湿地斑块。而经我们实地调查验证，发现大乃洋草本沼泽早在20世纪50年代已消失，经过围垦成为了农地。所以，缺少现地验证，是两次湿地调查中草本沼泽湿地差异巨大的原因。

3　两次调查面积变化原因

3.1　调查方法差异

第一次调查中，在调查前没有通过卫片解译将湿地斑块的分布和边界进行区划，主要通过资料的收集，且对收集的资料数据也没有进行全面的验证，另外收集的资料十分陈旧，如万宁大乃洋草本沼泽已消失但仍计入第一次调查的统计数据中，数据的真实性有待商榷。

3.2　技术手段的差异

在第二次调查过程中，全程利用了“3S”技术，增加了进行湿地斑块分布和面积调查、分析的科学性。而第一次调查中缺少该技术的支撑，对于湿地斑块的面积估算多参考于资料或利用地形图估算，特别是对于水下的珊瑚礁、海草床等湿地的面积和边界更是难以获得。

3.3　湿地定义的差异

两次调查中对于湿地分类的定义不尽相同，在进行比较分析的时候难以一一对应进行分析，容易将不同定义的湿地类型放在一起进行比较，导致两次调查数据差异巨大。

3.4　湿地利用强度增大，湿地受到蚕食

湿地的利用强度增大，如房地产开发、捕捞、排污等导致一些湿地类型的面积缩减，如淤泥质海滩、红树林、珊瑚礁等都受到一定程度的蚕食，都有一定程度的萎缩；同时水产养殖场的围建，加剧了这一现象。

第六章
湿地保护与管理

第一节
湿地保护管理现状

1　大部分重要湿地列入自然保护区和湿地公园范围

自 1980 年建立东寨港自然保护区以来，海南已建立各级以湿地生态系统为主要保护对象或涉及湿地的自然保护区共 25 处(见附表 3、图 6-1，其中西南中沙群岛与西沙东岛白鲣鸟省级自然保护区另行调查，本统计数据不包括上述 2 个保护区)，保护对象涉及红树林、珊瑚礁、海草床、麒麟菜、白蝶贝等，保护区的建立促进了海洋湿地生物多样性与生态系统的就地保护(图 6-1)。

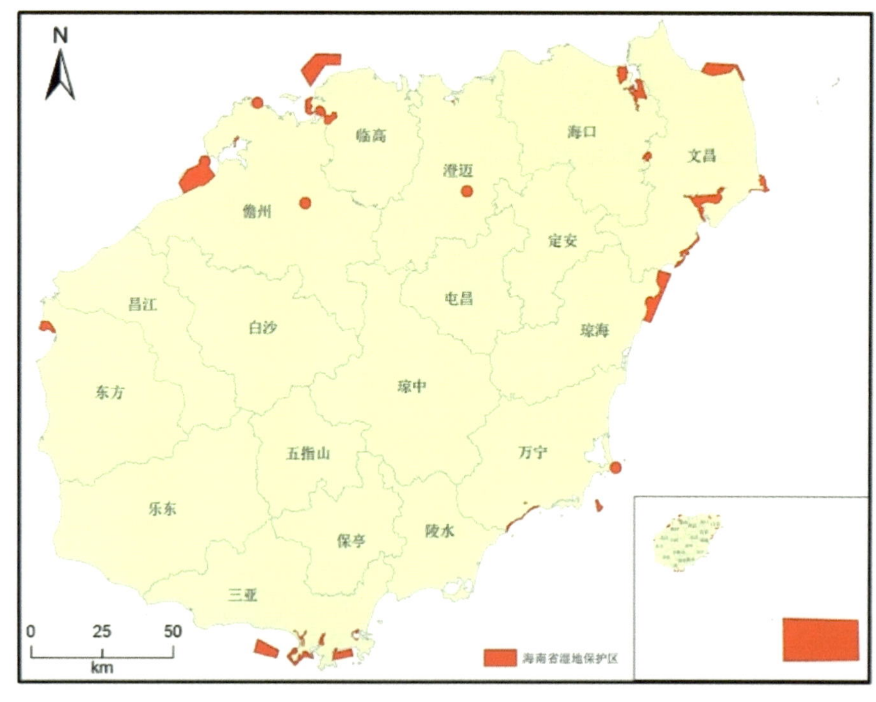

图 **6-1**　海南湿地自然保护区分布

据统计，海南岛湿地保护区总面积为 82176.72 公顷，湿地面积为 29824.42 公顷，占全省湿地面积 9.27%。大部分水鸟栖息地、红树林、珍稀水生野生动物分布区和重要的水源地均纳入自然保护区的范围，其中东寨港国家级自然保护区被列入国际重要湿地名录。另外有部分野生动物、森林生态生态类的保护区保护了部分重要湿地生态环境，如大田国家级自然保护区、五指山国家级自然保护区、尖峰岭国家级自然保护区、吊罗山国家级自然保护区。已批准建设湿地公园 3 处，其中国家湿地公园 2 处，为南丽湖国家湿地公园，新盈海上国家森林公园；省级湿地公园 1 处，即海尾省级湿地公园。湿地公园总面积 3100.91 公顷，其中湿地面积 1067.77 公顷。

2　湿地自然保护区管理逐步规范化

海南国家级湿地生态类自然保护区有 3 个，分别为东寨港国家级自然保护区、三亚珊瑚礁国家级自然保护区、大洲岛国家级自然保护区。另外还有省级湿地自然保护区有 12 处，市县级的自然保护区有 10 处(详见附录 3)。

国家级、省级湿地自然保护区的管理机构分别为管理局和管理站，由省编委核定事业编制。国家级自然保护区基本建设经费由国家、省按比例投入，省级自然保护区基本建设经费由省、市、县按比例投入。管理局(处)内一般设综合科、保护管理科、科研宣教科(访客服务中心)、森林公安派出所等机构，湿地保护管理制度化规范化。

3　湿地保护管理有法可依　湿地保护建设有规可据

1971 年，我国成为《湿地公约》的缔约国，近十年，我国颁布了一系列涉及湿地资源保护的法律法规，包括海洋环境保护法、水生野生动物保护条例、海洋自然保护管理办法等。同时，海南根据国家相关法律，结合本地实际，也颁布了一系列有关湿地资源保护的地方性法规与规章，包括海南省自然保护区管理条例、珊瑚保护规定、红树林保护规定、海洋环境保护规定等，使得湿地保护管理中有法可依。

《全国海洋经济发展规划纲要》《全国海洋功能区划》《全国海岛保护规划》和《中国水生生物资源养护行动计划纲要》，以及相关部门制定了《中国海洋事业发展规划》《全国自然保护区发展规划》《全国湿地保护工程规划》等涉及湿地资源保护规划的批准实施。在海南，国务院发布的《国务院关于推进海南国际旅游岛建设发展的若干意见》，及海南省制定本地区的《海洋经济发展计划》《省级海洋功能区划》《海南国际旅游岛建设发展规划纲要(2010～2020)》《海南省海岛保护规划》及《海洋环境保护规划》等，对沿海湿地的保护提出了相应的规划安排，使得开展湿地保护建设时有规可循。

4　生物多样性调查、科研、监测能力提升

2004 年，国家海洋局启动全国近海海洋生态监控区工作，海南省在西沙珊瑚区与海南岛周边珊瑚礁与海草床分布区布设了监控区。此外已在 11 个市县建立海洋环境监测站，基本建立起覆盖全省的近海海域的海洋环境监测网络。

第二节 湿地保护管理建议

1 加强湿地宣传教育 提高全社会的湿地保护意识

针对人们对湿地普遍缺乏认识这一现状，应加大对湿地的宣传力度，形成政府重视、媒体关注、公众参与的多形式，多渠道宣传方式，增加全社会的湿地保护意识，促进湿地保护管理主流化。建立公众参与的机制，人们自觉将湿地保护纳入日常生活中，使政府能将湿地保护管理纳入常规决策考虑。结合湿地自然保护区或湿地公园建设，建立湿地科普宣教中心，加强湿地科普教育，充分展示湿地的功能和价值。

2 建立健全各级湿地保护和管理机构 成立湿地保护执法队伍

对一些尚未有保护管理机构的自然保护区，建议健全其保护机构。同时在各级湿地管理机构中，成立湿地执法队伍。同时建议各级林业局成立相应的湿地保护管理机构和执法队伍。

3 严格按照法律法规和相关规划开展湿地综合管理

加强湿地资源的综合管理，严格遵守相关法律法规，实施海南本区域的《海洋经济发展计划》《省级海洋功能区划》《海南国际旅游岛建设发展规划纲要(2010～2020)》《海南省海岛保护规划》及《海洋环境保护规划》，引导地方各部门对湿地的开发利用树立全局观念，考虑长远利益和综合效益。

海南省大部分湿地分布在沿海地区，是经济较发达的地区，湿地的开发与保护已引起部门、行业之间，国家、地方之间，集体、个人之间的利益冲突。湿地的保护和开发利用是矛盾的统一体，保护目的是为使湿地生态系统实现良性循环，湿地资源能持续利用，为人类提供更多的资源。

4 新建一批保护区和湿地公园 进一步加强对湿地的保护利用

统计分析海南岛天然湿地的保护状况(表6-1)，结果显示海南岛建有以湿地生态系统为主要保护对象的自然保护区16个，其中国家级3个、省级8个、市县级5个；这16个自然保护区主要保护对象都为近海与海岸湿地类，河流、湖泊、沼泽3大类湿地无一个自然保护区。在近海与海岸湿地类的10个自然保护区中，河口水域、海岸性咸水湖等重要湿地型也无一个自然保护区；潮下水生层湿地保护区中的文昌、琼海麒麟菜保护区和沙石海滩湿地类保护区中的临高、儋州白蝶贝保护区建立至今仍处于无机构、无人员、无经费状态。

在海南的湿地保护中应加强和加快具有海南特点的湿地类型或海南稀有的湿地类型保护区建设。建议尽快建立河流淡水湿地、河口湿地、喀斯特溶洞湿地、草本沼泽湿地、森林沼泽湿地、淡水泉湿地等自然保护区。河流淡水湿地对于保护海南特有的淡水鱼类至关重要；现今海南稀有的喀斯特溶洞湿地仅分布于儋州，根据当地人的介绍，这里的地下河中已经能够捕捉到罗非鱼等外来物种，至今还无人对海南的地下河鱼类等生物多样性开展过调查，外来物种的入侵将可能导致一些尚未认识的物种的灭绝；琼北火山岩地区分布有星罗棋布的湖泊和淡水冷泉，但是，近年来由于森林的砍伐、建立高尔夫球场等无序开发，湖泊冷泉湿地已几乎被破坏殆尽，仅在定安和海口羊山地区还有个别的冷泉和湖泊，亟须建立保护区，加强保护。

表 6-1 海南岛天然湿地保护状况

湿地类	湿地型	国家级自然保护区		省级自然保护区		市县级自然保护区		合 计
		A	B	A	B	A	B	
近海与海岸湿地	浅海水域	1	3	0	4	0	3	11
	潮下水生层	0	1	2	0	0	0	3
	珊瑚礁	1	2	0	2	0	0	5
	岩石海岸	0	3	0	4	0	0	7
	沙石海滩	0	3	2	4	0	3	12
	淤泥质海滩	0	0	0	0	0	0	0
	红树林	1	1	2	1	5	0	10
	河口水域	0	0	0	0	0	0	0
	三角洲	0	0	0	0	0	0	0
	海岸性咸水湖	0	0	0	0	0	0	0
河流湿地	永久性河流	0	4	0	7	0	2	13
	喀斯特溶洞湿地	0	0	0	0	0	0	0
	洪泛平原湿地	0	0	0	0	0	0	0
湖泊湿地	永久性淡水湖	0	0	0	0	0	0	0
沼泽湿地	草本沼泽	0	0	0	0	0	0	0
	灌丛沼泽	0	0	0	0	0	0	0
	森林沼泽	0	0	0	0	0	0	0
	地热湿地	0	0	0	0	0	0	0
	淡水泉	0	0	0	0	0	0	0
合 计		3	17	6	22	5	8	

A = 主要保护对象，B = 保护区内类型

通过对全省湿地资源的普查，发现一些具有重要生态价值的湿地，建议建立相关保护形式，对这些重要的湿地进行保护，如琼海市九曲江，主要保护对象为河流湿地和湿地鸟类；久温塘火山冷泉，主要保护对象是地下水湿地资源；还有南渡江琼中县至屯昌澄迈县交界段，主要保护对象是河流湿地与淡水鱼类种质资源；南湾半岛及其周边生态系统，主要保护对象是包括陆地和海洋生态系统完整带谱。

琼海九曲江位于海南省琼海市中原镇，是一处永久性河流，位于九曲江的中上游段。河段沿岸树林茂密，生长有黄槿等半红树树种，是许多湿地、森林鸟类良好栖息场地，鸟类物种丰富。

沿海还有许多溪流延伸，河网复杂，乘船荡漾其中，可领略人与湿地的和谐之美，是良好的休闲、观鸟场所。

久温塘火山冷泉位于海南省定安县龙门镇久温塘村委会，是一处典型的淡水泉湿地，其泉眼数量多，泉水潺潺、清凉透彻，形态自然。久温塘冷泉原生环境完好，周边大榕树浓荫密布，古老的火山石错落有致，地下泉水出露地面后形成湖面，并与森林相互辉映，湿地景观独特，具有极高的观赏性(图 6-2)，具有地下水湿地资源的典型性和代表性，具有较高的科学价值和保护价值。

图 **6-2**　定安久温塘冷泉景观

南渡江琼中县至屯昌澄迈县交界段两岸为天然林，是典型的河流湿地。南渡江淡水鱼类物种资源丰富，记录有淡水鱼类物种 92 种，其中有海南特有物种 6 种，是海南各水系中物种丰富度最高的河流。海南省至今尚未建立以淡水鱼类为主要保护对象的保护区，通过建立南渡江种质资源保护区有利用对淡水鱼类进行保护，特别是海南特有鱼类，具有重要科研价值。

南湾半岛及其周边生态系统类型多样，囊括了山地的热带雨林、海岸的红树林、作为海龟产卵场的沙质海岸、潮间带及浅海的海草场、近海及浅海的珊瑚礁、湾内泻湖及湾外近海等生态系统(图 6-3)，在方圆不足 100 平方公里的范围内集中了 6 大类热带陆地及海洋生态系统，生态系统带谱复杂完整，在我国是独一无二的，具有不可替代的科学研究。

5　建立完善的湿地监测体系

在本次湿地调查的基础上，利用现有的数据库和“3S”技术，建立基本覆盖全省重要湿地的监测网络，开展湿地生态动态监测，为湿地科学保护管理提供实时的数据信息支持。湿地监测不但要进行面积的动态监测，还要对湿地的水质、湿地的动植物、湿地的生态状况和功能进行动态监测，以提供湿地管理者做湿地保护管理决策的依据。

6　增加投入　加强对已建湿地自然保护区的建设力度

目前已建湿地自然保护区的基础设施建设大部分基本完成，为了进一步完善保护区建设，加强红树林资源调查，加强湿地自然保护区生物多样性监测与预警体系的建设，完善相关信息数据库，建议省财政加大对湿地保护区专项工程资金的投入。

图 **6-3**　南湾半岛各类生态系统分布图

7　建立湿地生态补偿机制　使湿地保护管理走可持续发展道路

加快建立湿地生态补偿机制，对推动湿地保护工作具有重大现实意义和深远的历史影响。建立湿地生态补偿机制是湿地保护管理走可持续发展道路的有力保障。

8　红树林保护区形成合力　优化保护

海南的红树林保护区面积小，且分布分散；且存在国家级、省级和市县级等级别的保护区；管理部门也众多，涉及林业、环保和国土等部门。难以通过全省统筹管理，统一实施保护管理策略，使得不同保护区间的保护成效差异明显。建议通过建立海南省红树林保护区联盟，将所有红树林的保护区晋升为省级或以上保护区，全省统一管理，优化保护资源的分配，以促进海南省红树林的保护。

附录1　海南湿地调查区域植物名录

序号	中文名	学名	保护等级
Ⅰ	蕨类	Pteridophyta	
(一)	卤蕨科	Acrostichaceae	
1	卤蕨	*Acrostichum aureum*	
Ⅱ	被子植物	Angiospermae	
i	双子叶植物纲	Dicotyledoneae	
(二)	睡莲科	Nymphaeaceae	
2	莲花	*Nelumbo nucifera*	
(三)	锦葵科	Malvaceae	
3	黄槿	*Hibiscus tiliaceus*	
(四)	大戟科	Euphorbiaceae	
4	海漆	*Excoecaria agallocha*	
(五)	豆科	Fabaceae	
5	水黄皮	*Pongamia pinnata*	
(六)	海桑科	Sonneratiaceae	
6	杯萼海桑	*Sonneratia alba*	省级
7	海桑	*Sonneratia caseolaris*	省级
8	无瓣海桑	*Sonneratia apetala*	省级
(七)	红树科	Rhizophoraceae	
9	海莲	*Bruguiera sexangula*	省级
10	红海榄	*Rhizophora stylosa*	省级
11	尖瓣海莲	*Bruguiera sexangula* var. *rhynchopetala*	省级
12	角果木	*Ceriops tagal*	省级
13	木榄	*Bruguiera gymnorrhiza*	省级
14	秋茄	*Kandelia candel*	省级
15	正红树	*Rhizophora apiculata*	省级
(八)	使君子科	Combretaceae	
16	红榄李	*Lumnitera littorea*	省级
17	榄李	*Lumnitera racemosa*	省级
(九)	紫金牛科	Myrsinaceae	
18	桐花树	*Aegiceras corniculatum*	
(十)	马鞭草科	Verbenaceae	
19	海榄雌	*Avicennia marina*	

（续）

序号	中文名	学名	保护等级
（十一）	楝科	Meliaceae	
20	木果楝	*Xylocarpus granatum*	
（十二）	茜草科	Rubiaceae	
21	瓶花木	*Scyphiphora hydrophyllacea*	
（十三）	菊科	Asteraceae	
22	阔苞菊	*Pluchoa indica*	
ii	单子叶植物纲	Monocotyledoneae	
（十四）	水鳖科	Hydrocharitaceae	
23	泰来藻	*Thalassia hemprichii*	
24	喜盐草	*Halophila ovalis*	
25	海菖蒲	*Enhalus acoroides*	
（十五）	角果藻科	Zannichelliaceae	
26	二药藻	*Halodule uninervis*	
27	羽叶二药藻	*Halodule pinifolia*	
（十六）	眼子菜科	Potamogetonaceae	
28	针叶藻	*Syringodium isoetifolium*	
（十七）	茨藻科	Najadaceae	
29	海神草	*Cymodocea rotundata*	
（十八）	雨久花科	Pontederiaceae	
30	凤眼莲	*Eichhornia crassipes*	
31	梭鱼草	*Pontederia cordata*	
（十九）	禾本科	Poaceae	
32	华三芒草	*Aristida chinensis*	
33	李氏禾	*Leersia hexandra*	
（二十）	棕榈科	Arecaceae	
34	水椰	*Nypa fruticans*	
（二十一）	天南星科	Araceae	
35	野芋	*Colocasia antiquorum*	
（二十二）	莎草科	Cyperaceae	
36	三俭草	*Rhynchospora corymbosa*	
37	硕大藨草	*Scirpus grossus*	

附录2 海南湿地调查区域动物名录

物种序号	中文名	拉丁名	保护级别	数量级	分布区
一	原始腹足目				
1	帽贝科				
(1)	嫁虫戚	*Cellana toreuma*		+ + +	彩桥、东海岸
2	马蹄螺科				
(2)	单齿螺	*Monodonta labio*		+	西海岸
3	蝾螺科				
(3)	蝾螺	*Turbo cornutus*		+ + +	彩桥
(4)	节蝾螺	*Turbo articulatus*		+ +	清澜港
4	蜒螺科				
(5)	奥莱彩螺	*Clithon oualaniensis*		+ + +	东寨港、清澜港、东海岸
二	中腹足目				
5	蟹守螺科				
(6)	棘刺蟹守螺	*Cerithium echinatum*		+	东海岸
(7)	石盾桑椹螺	*Clypemorus petrosus*		+	东海岸
(8)	特氏盾桑椹螺	*Clypemorus trailli*		+	东海岸
(9)	中华锉棒螺	*Rhinoclavis sinensis*		+	东海岸
6	宝贝科				
(10)	阿文绶贝	*Mauritia arabica*		+ + +	彩桥、东海岸
(11)	日本细焦掌贝	*Palmadusta gracilis japonica*		+ +	琼海麒麟菜
7	滨螺科				
(12)	粗糙拟滨螺	*Littorinopsis scabra*		+ +	东寨港
8	凤凰螺科				
(13)	水晶凤螺	*Strombus canarium*		+ + +	磷枪石岛
9	海蜷科				
(14)	小翼拟守蟹螺	*Cerithidea microptera*		+	东寨港
10	汇螺科				
(15)	古氏滩栖螺	*Batillaria cumingi*		+ + +	东寨港、清澜港、琼海麒麟菜、东海岸、西海岸、洋浦港
(16)	纵带滩栖螺	*Batillaris zonalis*		+ +	东寨港
(17)	珠带拟蟹守螺	*Cerithidea cingulata*		+ + +	东寨港、清澜港、东海岸
(18)	红树拟蟹守螺	*Cerithidea rhizophorarum*		+	东寨港
11	蛙螺科				
(19)	习见蛙螺	*Bursa rana*		+	西海岸
12	玉螺科				

（续）

物种序号	中文名	拉丁名	保护级别	数量级	分布区
(20)	玉螺	*Natica vitellus*		+	东寨港
(21)	梨形乳玉螺	*Polinices pyriformis*		+ +	清澜港、东海岸
13	锥螺科				
(22)	棒锥螺	*Turritella bacilum*		+ + +	磷枪石岛、东海岸、西海岸、洋浦港
三	新腹足目				
14	骨螺科				
(23)	褐棘螺	*Chicoreus brunneus*		+ + +	磷枪石岛
(24)	浅缝骨螺	*Murex trapa*		+	西海岸
15	蛾螺科				
(25)	方斑东风螺	*Babylonia areolata*		+	西海岸
16	织纹螺科				
(26)	秀丽织纹螺	*Nassarius dealbatus*		+ +	东寨港
(27)	西格织纹螺	*Nassarius siquinjorensis*		+ + +	东寨港
(28)	胆形织纹螺	*Nassarius thersites*		+ +	东寨港
17	榧螺科				
(29)	彩榧螺	*Oliva ispidula*		+	东海岸
(30)	伶鼬榧螺	*Oliva mustellina*		+	琼海麒麟菜
18	麦螺科				
(31)	杂色牙螺	*Columbella versicolor*		+ +	清澜港、东海岸
19	芋螺科				
(32)	唐草芋螺	*Conus caracteristicus*		+	东海岸
四	蚶目				
20	蚶科				
(33)	锈粗饰蚶	*Anadara ferruginea*		+ +	磷枪石岛、西海岸
(34)	布纹蚶	*Barbatia decussata*		+ + +	磷枪石岛、西海岸
(35)	泥蚶	*Arca granosa*		+ +	东寨港
(36)	青蚶	*Barbatia virescens*		+ + +	琼海麒麟菜
(37)	角毛蚶	*Scapharca cornea*		+ +	琼海麒麟菜
五	贻贝目				
21	贻贝科				
(38)	带偏顶蛤	*Modiolus comptus*		+	东海岸
22	壳菜蛤科				
(39)	耳偏顶蛤	*Modiolus auriculatus*		+	东海岸
(40)	翡翠贻贝	*Perna viridis*		+	彩桥
(41)	隆起隔贻贝	*Septifer excisus*		+	东海岸
六	珍珠贝目				
23	牡蛎科				
(42)	褶牡蛎	*Ostrea plicatula*		+ + +	磷枪石岛、彩桥、东海岸、西海岸、洋浦港
(43)	近江牡砺	*Ostrea rivularis*		+ +	东寨港、清澜港

（续）

物种序号	中文名	拉丁名	保护级别	数量级	分布区
（44）	鹅掌牡蛎	*Planostrea pestigris*		+	西海岸、洋浦港
（45）	舌骨牡蛎	*Hyotissa hyotis*		+ +	清澜港
（46）	咬齿牡蛎	*Ostrea mordax*		+	东海岸
七	帘蛤目				
24	帘蛤科				
（47）	突畸心蛤	*Cryptonema producta*		+ + +	琼海麒麟菜、东海岸
（48）	突角镜蛤	*Cryptonema producta*		+ +	东寨港
（49）	凸镜蛤	*Dosinia derupta*		+	西海岸、洋浦港
（50）	日本镜蛤	*Dosinia japonica*		+	东海岸
（51）	射带镜蛤	*Dosinia troscheli*		+	东海岸
（52）	青蛤	*Cyclina sinensis*		+ +	东寨港
（53）	加夫蛤	*Gafrarium pectinatum*		+ + +	东海岸
（54）	凸加夫蛤	*Gafrarium tumidum*		+ +	东寨港、清澜港、东海岸、西海岸
（55）	等边浅蛤	*Gomphina veneriformis*		+ +	彩桥
（56）	帘蛤	*Mercenaria mercenaria*		+ +	东寨港
（57）	文蛤	*Meretrix meretrix*		+ +	东寨港、清澜港、东海岸
（58）	菲律宾蛤仔	*Ruditapes philippinarum*		+ +	东海岸
（59）	棕带仙女蛤	*Callista erycina*		+	东海岸
（60）	织锦巴非蛤	*Paphia textile*		+	西海岸、洋浦港
（61）	四射缀锦蛤	*Tapes belcheri*		+ + +	东寨港
25	满月蛤科				
（62）	无齿蛤	*Anodontia edentula*		+	东海岸
26	鸟蛤科				
（63）	脊鸟蛤	*Fragum fragum*		+ +	清澜港
（64）	滑肋糙鸟蛤	*Trachycardium enode*		+ +	磷枪石岛、东海岸
（65）	黄边糙鸟蛤	*Trachycardium flavum*		+ +	琼海麒麟菜、西海岸、洋浦港
27	樱蛤科				
（66）	华丽美丽蛤	*Merisca diaphana*		+	西海岸、洋浦港
（67）	散纹樱蛤	*Tellina virgata*		+ +	清澜港
28	中带蛤科				
（68）	环纹坚石蛤	*Atactodea striata*		+	东海岸
（69）	锈色朽叶蛤	*Coecella turgida*		+	西海岸
29	紫云蛤科				
（70）	中国紫蛤	*Sanguinolaria chinensis*		+ + +	清澜港
30	紫云蛤科				
（71）	紫蛤	*Hiatula violacea*		+	东海岸
31	竹蛏科				
（72）	缢蛏	*Sinonovacula constricta*		+ +	东寨港
八	笋螂目				
32	短吻蛤科				

（续）

物种序号	中文名	拉丁名	保护级别	数量级	分布区
(73)	圆盘短吻蛤	*Periploma otohimeae*		++	东寨港
九	头楯目				
33	枣螺科				
(74)	枣螺	*Bulla vernicosa*		+	东海岸
十	莺蛤目				
34	海扇蛤科				
(75)	长肋日月贝	*Amussium pleuronectes*		++	磷枪石岛、西海岸、洋浦港
十一	海螂目				
35	篮蛤科				
(76)	灰异篮蛤	*Anisocorbula pallida*		+	西海岸、洋浦港
十二	十足目				
36	对虾科				
(77)	须赤虾	*Metapenaeopsis barbata*		+++	清澜港
(78)	近缘新对虾	*Metapenaeus affinis*		+	清澜港
(79)	墨吉对虾	*Penaeus merguiensis*		++	东寨港
37	长臂虾科				
(80)	脊尾白虾	*Exopalaemon carinicauda*		+++	清澜港
(81)	敖氏长臂虾	*Palaemon ortmanni*		+	清澜港
(82)	白背长臂虾	*Palaemon sewelli*		+	会山
38	沼虾科				
(83)	细螯沼虾	*Macrobrachium superbum*		++	会山
39	地蟹科				
(84)	毛足圆轴蟹	*Cardisoma hirtipes*		+	会山
40	方蟹科				
(85)	中华近方蟹	*Hemigrapsus sinensis*		++	东寨港
(86)	沈氏长方蟹	*Metaplax sheni*		++	清澜港
(87)	斑点相手蟹	*Sesarma pictum*		+++	东寨港
(88)	无齿相手蟹	*Sesarma dehaani*		+	东海岸
(89)	褶痕相手蟹	*Sesarma plicata*		+++	东寨港
41	和尚蟹科				
(90)	长腕和尚蟹	*Mictyris longicarpus*		++	东寨港
42	拳蟹科				
(91)	隆线拳蟹	*Philyra carinata*		+	清澜港
43	沙蟹科				
(92)	锯眼泥蟹	*Ilyoplax serrata*		++	东寨港
(93)	悦目大眼蟹	*Macrophthalmus erato*		+++	东寨港、清澜港
(94)	弧边招潮蟹	*Uca* (*Deltuca*) *arcuata*		++	东寨港
(95)	北方凹指招潮蟹	*Uca borealis*		+	东海岸
44	扇蟹科				
(96)	光辉圆扇蟹	*Sphaerozius nitidus*		+	会山

（续）

物种序号	中文名	拉丁名	保护级别	数量级	分布区
45	梭子蟹科				
(97)	远海梭子蟹	*Portunus pelagicus*		+	清澜港
(98)	三疣梭子蟹	*Portunus trituberculatus*		+ +	东寨港
十三	围胸目				
46	藤壶科				
(99)	白脊藤壶	*Balanus amphitrite*		+	东海岸
十四	拱齿目				
47	长海胆科				
(100)	紫海胆	*Anthocidaris crassispina*		+	东海岸
十五	鲱形目				
48	鲱科				
(101)	金色小沙丁鱼	*Sardinella aurtia*		+ +	东海岸
(102)	玉鳞鱼	*Kowala coval*		+ +	西海岸
(103)	大眼青鳞鱼	*Harengula ovalis*		+ + +	磷枪石岛、东寨港、西海岸
49	鳀科				
(104)	杜氏棱鳀	*Thrissa Dussuumieri*		+	西海岸
(105)	赤鼻棱鳀	*Thrissa kammalensis*		+ +	西海岸
(106)	青带小公鱼	*Anchoviella zollingeri*		+ +	东海岸、西海岸
(107)	汉氏棱鳀	*Thrissa hamiltonii*		+ + +	磷枪石岛
十六	鳗鲡目				
50	海鳝科				
(108)	网纹裸胸鳝	*Gymnothorax reticularis*		+	磷枪石岛
(109)	细点裸胸鳝	*Gymnothorax fimbriatus*		+	磷枪石岛
51	蛇鳗科				
(110)	中国须鳗	*Cirrhimuraena chinesis*		+	磷枪石岛
十七	鲤形目				
52	鲤科				
(111)	海南似鲚	*Toxabramis houdemeri*		+ +	上溪
(112)	鲫	*Carassius auratus*		+ +	番加、尖峰岭、清澜港、上溪
(113)	条纹小鲃	*Puntius semifasciolatus*		+ +	番加
(114)	细编	*Rasborinus lineatus*		+ +	番加
(115)	海南异鱲	*Parazacco spilurus fasciatus*		+ + +	吊罗山、上溪
(116)	鲮	*Cirrhinus molitorella*		+ + +	番加
(117)	马口鱼	*Opsariichthys bidens*		+ + +	会山、上溪、鹦哥岭
(118)	翘嘴鲌	*Culter alburnus*		+ + +	番加
(119)	纹唇鱼	*Osteochilus salsburyi*		+ + +	番加
(120)	细尾白甲鱼	*Onychostoma leptura*		+ + +	吊罗山、尖峰岭、鹦哥岭
(121)	须鲫	*Carassioides cantonensis*		+ + +	上溪
(122)		*Hemiculter leucisculus*		+ + +	番加
(123)	鲤	*Cyprinus carpio*		+ + + +	上溪

（续）

物种序号	中文名	拉丁名	保护级别	数量级	分布区
53	鳅科				
(124)	美丽小条鳅	*Micronemacheilus pulcher*		+ +	上溪
(125)	横纹南鳅	*Schistura fasciolata*		+ + +	吊罗山、鹦哥岭
(126)	泥鳅	*Misgurnus anguillicaudatus*		+ + +	上溪
54	平鳍鳅科				
(127)	保亭近腹吸鳅	*Plesiomyzon baotingensis*		+	吊罗山
(128)	海南原缨口鳅	*Vanmanenia hainanensis*		+	鹦哥岭
十八	银汉鱼目				
55	银汉鱼科				
(129)	瓦氏下银汉鱼	*Hypoatherina valenciennesi*		+ +	东海岸
十九	颌针鱼目				
56	飞鱼科				
(130)	半斑燕鳐	*Cypselurus atrisignis*		+ +	西海岸
(131)	少鳞燕鳐	*Cypselurus oligolepis*		+ + +	东海岸
57	颌针鱼科				
(132)	圆颌针鱼	*Tylosurus atrongylurus*		+ +	西海岸
58	鱵科				
(133)	边下鱵	*Hemiramphus limbatus*		+ +	东海岸
(134)	乔氏鱵	*Rhynchorhamphus georgii*		+ + +	西海岸
二十	鲻形目				
59	魣科				
(135)	日本魣	*Sphyraena japonica*		+ +	东海岸
(136)	油魣	*Sphyraena pinguis*		+ +	西海岸
60	鲻科				
(137)	鲻	*Mugil cephalus*		+ +	东海岸
(138)	棱鲻	*Mugil carinatus*		+ + +	西海岸
二十一	合鳃鱼目				
61	合鳃鱼科				
(139)	黄鳝	*Monopterus albus*		+ +	会山、鹦哥岭
二十二	鲈形目				
62	双边鱼科				
(140)	少棘双边鱼	*Ambassis miops*		+ +	东海岸
63	鮨科				
(141)	斜带石斑鱼	*Epinephalusc coioides*		+ +	清澜港
64	天竺鲷科				
(142)	条长鳍天竺鱼	*Archamia lineolata*		+	东海岸
65	鱚科				
(143)	多鳞鱚	*Sillago sihama*		+ +	东海岸、清澜港
66	鲹科				
(144)	丽叶鲹	*Caranx(Atule) kalla*		+	西海岸

（续）

物种序号	中文名	拉丁名	保护级别	数量级	分布区
(145)	蓝圆鲹	*Decapterus maruadsi*		＋＋	西海岸
67	石首鱼科				
(146)	黄姑鱼	*Nibea albiflora*		＋＋	东寨港
68	鲾科				
(147)	杜氏鲾	*Leiognathus dussumieri*		＋＋	东海岸
(148)	短棘鲾	*Leiognathus equuls*		＋＋	磷枪石岛
(149)	短吻鲾	*Leiognathus brevirostris*		＋＋	东海岸
(150)	黑边鲾	*Leiognathus splendens*		＋＋	西海岸
69	银鲈科				
(151)	长体银鲈	*Gerres macrosoma*		＋＋	清澜港、西海岸
(152)	长棘银鲈	*Gerres filamentosus*		＋＋＋	东海岸
70	笛鲷科				
(153)	二带梅鲷	*Caesio diagramma*		＋＋	东海岸
(154)	红鳍笛鲷	*Lutjanus erythopterus*		＋＋	东海岸
71	鲷科				
(155)	黄鳍鲷	*Sparus latus*		＋＋	磷枪石岛、西海岸
(156)	真鲷	*Pagrosomus ajor*		＋＋	东海岸
72	鯻科				
(157)	四带牙鯻	*Pelates guadrilineatus*		＋	西海岸
(158)	细鳞鯻	*Therapon jarbus*		＋＋	清澜港、西海岸
(159)	尖吻鯻	*Therapon oxyrhynchus*		＋＋＋	东海岸
73	丽鱼科				
(160)	尼罗非鲫	*Tillapia nilotica*		＋＋	西海岸
(161)	尼罗罗非鱼	*Oreochromis niloticus*		＋＋＋	大田、清澜港、西海岸
74	单鳍鱼科				
(162)	白边单鳍鱼	*Pempheris nyctereutes*		＋＋	东海岸
75	雀鲷科				
(163)	惠琪豆娘鱼	*Abudefdul vargiensis*		＋＋＋	磷枪石岛
76	塘鳢科				
(164)	黑体塘鳢	*Eleotris melanosoma*		＋＋	东海岸
(165)	云斑尖塘鳢	*Oxyeleotris marmorata*		＋＋＋	尖峰岭
77	鰕虎鱼科				
(166)	刺盖鰕虎鱼	*Oplopomus caninoides*		＋	清澜港
(167)	舌鰕虎鱼	*Glossogobius giurus*		＋	清澜港
(168)	斑尾复鰕虎鱼	*Synechogobius ommaturus*		＋＋	西海岸
(169)	珠鰕虎鱼	*Acentrogobius viridipunctatus*		＋＋	东寨港
78	虾虎鱼科				
(170)	双斑舌虾虎	*Glossogobius giuris*		＋＋	东海岸
79	弹涂鱼科				
(171)	青弹涂鱼	*Scartelaos viridis*		＋＋＋	东寨港

（续）

物种序号	中文名	拉丁名	保护级别	数量级	分布区
80	篮子鱼科				
(172)	黄斑篮子鱼	*Siganus oramin*		+ +	磷枪石岛、清澜港、西海岸
81	白鲳科				
(173)	白鲳	*Ephippus* orbis		+	东寨港
82	带鱼科				
(174)	带鱼	*Trichiurus haumela*		+ +	磷枪石岛、西海岸
83	鳢科				
(175)	斑鳢	*Channa maculata*		+ + +	番加
(176)	宽额鳢	*Channa gachua*		+ + +	吊罗山、尖峰岭、上溪、鹦哥岭
84	攀鲈科				
(177)	岐尾斗鱼	*Macropodus opercularis*		+	会山、尖峰岭
(178)	攀鲈	*Anabas testudineus*		+ + +	上溪
二十三	鲉形目				
85	鲉科				
(179)	褐菖鲉	*Sebastiseus marmoratus*		+ + +	磷枪石岛
(180)	红鳍赤鲉	*Hypodytes rubripinnis*		+ +	西海岸
二十四	鲽形目				
86	舌鳎科				
(181)	宽体舌鳎	*Cynoglossus robustus*		+ +	东海岸
87	鳎科				
(182)	东方箬鳎	*Brachirus orientalis*		+ +	东海岸
(183)	箬鳎	*Brachirus orientalis*		+ +	清澜港
二十五	鲀形目				
88	鲀科				
(184)	棕斑兔头鲀	*Lagocephalus lunaris*		+ +	西海岸
二十六	海鲢目				
89	海鲢科				
(185)	海鲢	*Megalops cyprinoides*		+ +	东寨港
二十七	仙女鱼目				
90	合牙鱼科				
(186)	大头狗母鱼	*Trachinocephalus myops*		+ + +	东寨港
二十八	无尾目				
91	锄足蟾科				
(187)	东南亚拟髭蟾	*Leptobrachium hainanensis*		+ +。	吊罗山
92	姬蛙科				
(188)	粗皮姬蛙	*Microhyla butleri*		+ +	大田
93	树蟾(雨蛙)科				
(189)	华南雨蛙	*Hyla simplex*		+ +	大田
94	树蛙科				
(190)	斑腿泛树蛙	*Polypedates leucomystax*		+ +	番加

（续）

物种序号	中文名	拉丁名	保护级别	数量级	分布区
(191)	海南溪树蛙	*Buergeria oxycephala*		++	鹦哥岭
95	蛙科				
(192)	长趾蛙	*Rana macrodactyla*		++	大田
(193)	脆皮蛙	*Rana fragilis*		++	五指山
(194)	大绿蛙	*Odorrana livida*		++	五指山
(195)	海南湍蛙	*Amolops hainanensis*		++	五指山
(196)	虎纹蛙	*Hoplobatrachus chinensis*	Ⅱ	6	大田
(197)	细刺蛙	*Rana spinulosa*		++	鹦哥岭
(198)	小湍蛙	*Amolops torrentis*		+++	尖峰岭、吊罗山、五指山、鹦哥岭、黎母山
(199)	圆舌浮蛙	*Occidozyga martensi*		++	甘什岭
(200)	泽蛙	*Rana limnocharis*		++	大田、五指山
(201)	沼蛙	*Hylarana guentheri*		++	大田
二十九	有鳞目				
96	蝰科				
(202)	白唇竹叶青蛇	*Trimeresurus albolabris*		++	吊罗山
97	鬣蜥科				
(203)	变色树蜥	*Calotes versicolor*		++	尖峰岭、五指山、番加
(204)	蜡皮蜥	*Leiolepis reevesi*		++	大田
(205)	丽棘蜥	*Acanthosaura lepidogaster*		++	尖峰岭、吊罗山、甘什岭
98	石龙子科				
(206)	海南棱蜥	*Tropidophorus hainanus*		++	五指山
(207)	中国石龙子	*Eumeces chinensis*		++	甘什岭
(208)	铜蜓蜥	*Sphenomorphus indicus*		++	尖峰岭、甘什岭
99	蜥蜴科				
(209)	南草蜥	*Takydromus sexlineatus*		++	鹦哥岭
100	眼镜蛇科				
(210)	银环蛇	*Bungarus multicinctus*		++	大田
101	游蛇科				
(211)	繁花林蛇	*Boiga multomaculata*		++	大田
(212)	红脖颈槽蛇	*Rhabdophis subminiatus*		++	五指山、鹦哥岭
(213)	灰鼠蛇	*Ptyas korros*		++	鹦哥岭
(214)	渔游蛇	*Xenochrophis piscator*		++	大田
三十	鸊鷉目				
102	鸊鷉科				
(215)	小鸊鷉	*Tachybaptus ruficollis*		37	东寨港、海尾、会山、上溪、松涛水库、文昌麒麟菜
三十一	鹳形目				
103	鹭科				

（续）

物种序号	中文名	拉丁名	保护级别	数量级	分布区
(216)	白鹭	*Egretta garzetta*		830	彩桥、大田、东方黑脸琵鹭、东海岸、东寨港、名人山鸟类、清澜港、三亚河、松涛水库、文昌麒麟菜、西海岸、新盈、洋浦港
(217)	苍鹭	*Ardea cinerea*		530	彩桥、东方黑脸琵鹭、东海岸、东寨港、海尾、名人山鸟类、三亚河、松涛水库、文昌麒麟菜、西海岸、新盈
(218)	草鹭	*Ardea purpurea*		2	海尾
(219)	绿鹭	*Butorides striatus*		64	大田、东海岸、东寨港、会山、西海岸
(220)	池鹭	*Ardeola bacchus*		234	彩桥、东方黑脸琵鹭、东海岸、东寨港、会山、名人山鸟类、清澜港、三亚河、三亚铁炉港、上溪、松涛水库、文昌麒麟菜、西海岸、洋浦港
(221)	牛背鹭	*Bubulcus ibis*		468	东寨港、名人山鸟类
(222)	大白鹭	*Egretta alba*		607	彩桥、东方黑脸琵鹭、东海岸、东寨港、海尾、三亚河、西海岸、新盈、洋浦港
(223)	岩鹭	*Egretta sacra*	Ⅱ	2	东海岸
(224)	中白鹭	*Egretta intermedia*		16	海尾、西海岸
(225)	夜鹭	*Nycticorax nycticorax*		1559	东寨港、海尾、名人山鸟类、三亚河、西海岸、新盈
(226)	栗苇鳽	*Ixobrychus cinnamomeus*		4	名人山鸟类、清澜港、西海岸
(227)	黄苇鳽	*Ixobrychus sinensis*		1	东海岸
104	鹮科				
(228)	白琵鹭	*Platalea leucorodia*	Ⅱ	2	东方黑脸琵鹭
(229)	黑脸琵鹭	*Platalea minor*	Ⅱ	62	东方黑脸琵鹭
三十二	雁形目				
105	鸭科				
(230)	针尾鸭	*Anas acuta*		565	东寨港、西海岸
(231)	凤头潜鸭	*Aythya fuligula*		4	西海岸
(232)	绿翅鸭	*Anas crecca*		233	东寨港、海尾、西海岸
(233)	[栗]树鸭	*Dendrocygna javanica*		148	海尾
三十三	隼形目				
106	鹗科				
(234)	鹗	*Pandion haliatus*	Ⅱ	15	东方黑脸琵鹭、会山、松涛水库、文昌麒麟菜、西海岸
三十四	鹤形目				
107	秧鸡科				
(235)	白胸苦恶鸟	*Amaurornis phoenicurus*		486	三亚河、新盈
(236)	黑水鸡	*Gallinula chloropus*		41	海尾、西海岸
(237)	紫水鸡	*Porphyrio porphyrio*		32	海尾

（续）

物种序号	中文名	拉丁名	保护级别	数量级	分布区
(238)	白骨顶	*Fulica atra*		16	海尾
三十五	鸻形目				
108	水雉科				
(239)	水雉	*Hydrophasianus chirurgus*		2	海尾
109	反嘴鹬科				
(240)	黑翅长脚鹬	*Himantopus himantopus*		3	东寨港
110	鸻科				
(241)	金眶鸻	*Charadrius dubius*		23	东海岸、清澜港、西海岸
(242)	环颈鸻	*Charadrius alexandrinus*		724	东方黑脸琵鹭、东海岸、东寨港、琼海麒麟菜、三亚河、西海岸
(243)	蒙古沙鸻	*Charadrius mongolus*		252	东方黑脸琵鹭、东海岸、东寨港、清澜港、三亚河、新盈、西海岸
(244)	铁嘴沙鸻	*Charadrius leschenaultii*		1577	东海岸、东寨港、清澜港、西海岸
(245)	灰斑鸻	*Pluvialis squatarola*		66	东海岸、清澜港
111	鹬科				
(246)	白腰杓鹬	*Numenius arquata*		21	东海岸、清澜港
(247)	青脚鹬	*Tringa nebularia*		278	东方黑脸琵鹭、东海岸、东寨港、清澜港、三亚河、西海岸
(248)	矶鹬	*Tringa hypoleucos*		53	东方黑脸琵鹭、东海岸、东寨港、清澜港、琼海麒麟菜、三亚河、西海岸、洋浦港
(249)	翘嘴鹬	*Xenus cinereus*		9	东方黑脸琵鹭、东海岸、清澜港
(250)	阔嘴鹬	*Limicola falcinellus*		6	东海岸、清澜港
(251)	小杓鹬	*Numenius minutus*	Ⅱ	4	西海岸
(252)	中杓鹬	*Numenius phaeopus*		12	西海岸
(253)	黑尾塍鹬	*Limosa limosa*		41	东海岸、东寨港、新盈
(254)	红脚鹬	*Tringa totanus*		57	彩桥、东方黑脸琵鹭、东海岸、东寨港、清澜港、三亚河、西海岸、洋浦港
(255)	泽鹬	*Tringa stagnatilis*		287	彩桥、东海岸、东寨港、清澜港、三亚河、西海岸、新盈
(256)	白腰草鹬	*Tringa ochropus*		11	名人山鸟类、新盈
(257)	林鹬	*Tringa glareola*		164	东寨港、清澜港、西海岸、新盈
(258)	小青脚鹬	*Tringa guttifer*	Ⅱ	2	东方黑脸琵鹭、新盈
(259)	翻石鹬	*Arenaria interpres*		11	东海岸、西海岸
(260)	扇尾沙锥	*Gallinago gallinago*		18	东寨港、清澜港、三亚铁炉港、西海岸
(261)	长趾滨鹬	*Calidris subminuta*		5	清澜港、三亚河、文昌麒麟菜、西海岸
(262)	黑腹滨鹬	*Calidris alpina*		922	东海岸、东寨港、清澜港、西海岸、新盈
(263)	弯嘴滨鹬	*Calidris ferruginea*		1	西海岸
(264)	流苏鹬	*Philomachus pugnax*		2	新盈
112	鸥科				
(265)	海鸥	*Larus canus*		50	七洲列岛

（续）

物种序号	中文名	拉丁名	保护级别	数量级	分布区
(266)	银鸥	*Larus argentatus*		32	七洲列岛
113	燕鸥科				
(267)	须浮鸥	*Chlidonias hybrida*		355	东海岸、东寨港、清澜港、西海岸、新盈
(268)	粉红燕鸥	*Sterna dougallii*		2	西海岸
(269)	褐翅燕鸥	*Sterna anaethetus*		12007	七洲列岛、东海岸
三十六	佛法僧目				
114	翠鸟科				
(270)	斑鱼狗	*Ceryle rudis*		14	东寨港、海尾、会山、清澜港、西海岸、新盈
(271)	普通翠鸟	*Alcedo atthis*		98	彩桥、东方黑脸琵鹭、东海岸、东寨港、海尾、会山、清澜港、三亚河、松涛水库、文昌麒麟菜、西海岸、新盈、洋浦港
(272)	白胸翡翠	*Halcyon smyrnensis*		130	彩桥、东方黑脸琵鹭、东海岸、东寨港、海尾、会山、清澜港、三亚河、三亚铁炉港、上溪、松涛水库、文昌麒麟菜、西海岸、新盈
三十七	食肉目				
115	鼬科				
(273)	水獭	*Lutra lutra*	Ⅱ	52	吊罗山
三十八	偶蹄目				
116	猪科				
(274)	野猪	*Sus scrofa*		+ + +	大田、尖峰岭、五指山、吊罗山
三十九	啮齿目				
117	松鼠科				
(275)	隐纹花松鼠	*Tamiops swinhoei*		+ + +	尖峰岭、鹦哥岭、番加、甘什岭
(276)	赤腹松鼠	*Callosciurus erythraeus*		+ +	黎母山
118	豪猪科				
(277)	扫尾豪猪	*Atherurus macrou*		+ +	五指山

附录3　海南重点调查湿地概况

1. 东寨港国家级自然保护区重点调查湿地

基本情况：海南东寨港国家级自然保护区（湿地区代码4610001）是我国红树林面积最大、种类最多、生长最好的地区之一，是中国建立的第一个红树林保护区。该重点调查湿地湿地总面积3841.8公顷，湿地斑块10个，均为近海与海岸湿地湿地类（面积3841.8公顷）；湿地型主要包括红树林（1771.08公顷）、沙石海滩（1706.23公顷）、潮下水生层（194.10公顷）浅海水域（120.34公顷）和河口水域（50.05公顷）

地理位置：该湿地位于东寨港地处海口市美兰区东北部，地理坐标为东经110°32′～110°37′，北纬19°51′～20°01′，周围主要有两镇（演丰镇、三江镇）一场（三江农场）。

自然环境概况：该湿地位于是1605年琼州大地震陆地下陷而形成的浅水港湾，主要地貌类型是淤泥质海岸，土壤类型主要是水稻土。该地区属典型的热带季风海洋性气候，年平均气温23.8℃左右，海水最高温度为31.5℃，最低温度为17.7℃，年平均水温为25.4℃。年平均降水量达1676.4毫米，变化范围为1600～1800毫米，年平均蒸发量为1831.5毫米，变化范围为1648.35～2014.65毫米。≥10℃和≥0℃的年平均积温均为8671.0℃，年平均相对湿度为85%，海水盐度平均为29.5‰。

保护区沿海的滩涂、泥沼多为浅海沉积或河流冲积物发育而成，淤泥深厚、土壤肥沃，是红树林的理想生长地。

水环境状况：潮汐属混合潮。潮高1.5～2.0米水源补给状况主要以综合补给为主，且永久积水，水源永久流出。水质pH值8.1，为弱碱性；矿化度为3.10克/升，为咸水；透明度0.44米透明度等级浑浊；总氮0.40毫克/升，总磷0.04毫克/升，化学需氧量为1.67毫克/升，属于富营养水体。水质为Ⅱ级，生活污水、垃圾、动物排泄物是主要的污染因子。

主要动物种群：该湿地动物种类非常丰富，其中尤以鸟类、底栖生物和鱼类最多。历史上记录有鸟类78种，其中水鸟45种，陆生鸟类33种，共记录国家Ⅱ级保护鸟类9种（邹发生等，2001），大型底栖生物68种（邹发生等，1999）。本次调查共在实地开展了4个湿地水鸟调查样点、2条湿地水鸟调查样带和12个大型底栖生物调查样框的调查，共记录湿地水鸟26种，鱼类7种，大型底栖动物30种。湿地水鸟中冬候鸟11种，留鸟10种，旅鸟5种，总的种群数量为1259只，其中针尾鸭、白鹭和苍鹭的种群数量都在100只以上。鱼类包括大头狗母鱼、大眼青鳞鱼、青弹涂鱼、黄姑鱼、海鲢、珠鰕虎鱼、白鲳等，大型底栖动物数量较多的有中珠带拟蟹守螺、古氏滩栖螺、西格织纹螺、四射缀锦蛤、褶痕相手蟹和斑点相手蟹等。

另外设置了1个兽类调查样方，1个两栖、爬行调查样方，未记录有湿地兽类、两栖类和爬行类动物。

主要植物种群：红树林是该重要湿地的主要植被类型，历史记录红树植物15科33种，其中红树植物17种，半红树植物7种，此外人工引进红树植物9种(海南省第一次湿地资源调查报告，2000)。本次共设置了94个4米×4米的植物样方开展红树林植被的调查，共记录记录12种红树植物，隶属9属6科，包括海榄雌、海莲、海漆、海桑、红海榄、尖瓣海莲、角果木、榄李、木榄、桐花树、秋茄、无瓣海桑等。大多为嗜热广布种，如木榄、红海榄、榄李、海漆等，再加上一些抗低温广布种，如秋茄、海榄雌、桐花树等，林分郁闭度在0.8以上，平均冠幅在3.11米，林木平均高度为4.6米。此外，在东寨港内还分布有以二药藻为优势物种的海草床。

共记录了8个植物群系，包括红树林湿地植被型组的海榄雌群系、海莲群系、红海榄群系、角果木群系、榄李群系、秋茄群系、桐花树群系和浅水植物湿地植被型组的二药藻群系。

保护管理状况：1980年经广东省人民政府批准建立为中国第一个红树林自然保护区，1986年被国务院批准为国家级自然保护区。1992年被列入《拉姆萨尔湿地名录》，是国际重要湿地，也是我国重要湿地。保护区总面积3337.6公顷，主要保护对象为红树林及其生态系统。该保护区边界明确，已做功能区划，有固定管理机构、人员与经费。

湿地功能与利用方式：湿地生态系统服务功能包括供给服务(提供食物和原材料、保护遗传资源)功能：红树林直接的光合产物为当地居民提供了薪炭、食物和其他生活用品与生产资源，湿地天然动物产品鱼、虾、蟹、软体动物非常丰富，人工养殖鱼虾蟹贝产量高，品质好；调节服务(净化水体、调节气候、缓解自然灾害、减轻侵蚀)功能：保护区具有重要的净化水质、防灾减灾、海岸保护等生态功能；文化服务(休闲和生态旅游、教育价值、审美价值、社会联系和地方感)功能：自然保护区开展红树林科普教育的生态旅游，每年接待参观游客上万人次；支持服务(生产生物量、水循环、提供栖息地、形成和保持土壤)功能：红树林在湿地生态系统中的作用提供环境有机质支持。种类繁多的细菌、无脊椎动物、底栖动物、浮游生物、鸟类生活在红树林湿地中，使该湿地成为极其重要的近海生物的天然育苗场和鸟类的栖息地。湿地主要利用方式包括养殖业、旅游和休闲。

受威胁状况：主要威胁来自水体污染带来的潜在威胁，受威胁状况等级为轻度。

土地所有权：国有。

湿地主管部门和管理机构：主管部门为海南省林业厅，管理机构为海南东寨港国家级自然保护区管理局。

2. 清澜港省级自然保护区

基本情况：海南清澜港省级自然保护区(湿地区代码4610007)，是我国较早成立的红树林保护区，清澜港红树林湿地是我国生物多样性关键地区之一。该重点调查湿地湿地总面积5477.51公顷，湿地斑块35个，分为近海与海岸湿地(面积5183.10公顷)与人工湿地(面积294.41公顷)2类；湿地型主要包括河口水域(1947.38公顷)、沙石海滩(1476.65公顷)、红树林(1663.12公顷)、浅海水域(95.95公顷)和水产养殖场(294.41公顷)

地理位置：该湿地位于海南省东北部文昌市界内，地理坐标为东经110°30′~110°02′，北纬19°15′~20°09′。周边与文昌市的罗豆农场、东阁镇、文城镇、文教镇、东郊镇、会文镇、龙楼镇、铺前镇等七镇一农场交界。保护区有三块区域，其中主要的一块区域位于文昌市东南方的八门湾(清澜港)沿海岸，毗邻文城、东郊、文教、龙楼、东阁五镇。第二块区域位于文昌市北部铺前港、罗豆海域沿海一带；第三区域位于文昌南部冠南沿海一带。

自然环境概况：该湿地属于华南低洼区的雷琼低洼列与琼中低穹列的边沿转折地带，该地区经历了漫长的地槽区阶段、地台区阶段和低洼区阶段。主要地貌类型是砂砾质海岸，土壤类型主要是海积潮砂土。该地区属典型的热带季风海洋性气候，年平均气温23.7℃左右，海水最高温度为30℃，最低温度为14℃，年平均水温为26℃，盐度为30‰。年平均降水量达1734.0毫米，变化范围为1600～2000毫米，年平均蒸发量为1872.7毫米，变化范围为1685.43～2059.97毫米。≥10℃和≥0℃的年平均积温均为8727.4℃。

清澜港港湾深入内陆(八门湾)，形成口窄内宽的漏斗状。文昌江和文教河汇入湾内，沿岸淤泥深厚，风浪微弱，为典型的泻湖—河口湿地生境，适宜红树林生长。

水环境状况：潮汐属混合潮。水源补给状况主要以综合补给为主，且永久积水，水源永久流出。八门湾最高潮位2.38米，最低潮位0.01米，最大潮差2.07米。水质pH值7.6，为弱碱性；透明度0.98米，透明度等级浑浊。

主要动物种群：历史记录有鸟类52种，其中湿地水鸟31种，陆生鸟类12种(邹发生等，2000)，另外还有大型底栖动物45种(邹发生等，1999)。本次共设置湿地水鸟调查样点4个，样带4条，共记录湿地水鸟22种，其中候鸟12种，留鸟6种，旅鸟4种，种群数量达到986只。共设置5个底栖生物调查样框，4个鱼类调查样点，共记录大型底栖生物21种，其中优势物种为珠带拟蟹守螺、古氏滩栖螺、中国紫蛤、奥莱彩螺、须赤虾、脊尾白虾和悦目大眼蟹；鱼类9种，分别是尼罗罗非鱼、长体银鲈、多鳞鱚、黄斑篮子鱼、细鳞鯻、斜带石斑鱼、鲫、刺盖鰕虎鱼和舌鰕虎鱼等。

主要植物种群：红树林是该重要湿地的主要植被类型。清澜港真红树植物在全国范围内最为丰富，达24种，占全国(28种)的85.71%。本次共设置126个4米×4米的灌木调查样方和16个0.5米×0.5米的蕨类调查样方对清澜港的植被状况进行调查，共记录湿地植物18种，隶属于14属12科，其中蕨类1种，被子植物17种，皆为红树植物，其中真红树和半红树植物分别为15种和3种。群落平均冠幅在2.44米，林木平均高度为2.15米。

清澜港共有10个群系，包括红树林湿地植被型组的海莲群系、角果木群系、红海榄群系、正红树群系、海漆群系、杯萼海桑群系、海榄雌群系、阔苞菊群系、榄李群系和卤蕨群系。

保护管理状况：1981年9月经海南行政区公署批准建立。1988年海南建省后改为省级自然保护区。2000年被列入《中国湿地保护行动计划——中国重要湿地名录》，是我国重要湿地。保护区总面积5032.47公顷，主要保护对象为红树林及其生态系统。该保护区边界明确，已做功能区划，有固定管理机构、人员与经费。

湿地功能与利用方式：湿地生态系统服务功能包括供给服务功能：红树林为当地居民提供了湿地天然动物产品鱼、虾、蟹、软体动物等食物与其他生活用品与生产资源；调节服务功能：保护区内红树林具有净化水质、防灾减灾、海岸保护等生态功能；文化服务功能：已在八门湾红树林内进行生态绿道、科普教育等生态旅游；支持服务功能：红树林在湿地生态系统中为各种湿地动物提供重要的栖息地。湿地主要利用方式包括养殖业、旅游和休闲。

受威胁状况：主要威胁来自水体污染带来的潜在威胁，受威胁状况等级为轻度。

土地所有权：国有。

湿地主管部门为海南省林业厅，管理机构为海南清澜港省级自然保护区管理站。

3. 洋浦港湿地

基本情况：该重点调查湿地位于洋浦港湿地区(湿地区代码4610006)内，重点调查湿地湿地总面积5566.13公顷，湿地斑块28个，分为近海与海岸湿地(面积5305.8公顷)、河流湿地(面积17.76公顷)和人工湿地(面积242.57公顷)3类；湿地型主要包括河口水域(2183.76公顷)、沙石海滩(1920.72公顷)、浅海水域(451.79公顷)、红树林(385.46公顷)、淤泥质海滩(364.07公顷)、盐田(197.76公顷)、水产养殖场(44.81公顷)和永久性河流(17.76公顷)。

地理位置：洋浦港位于海南省儋州市。洋浦港水域由洋浦湾和新英湾组成。新英湾是洋浦港的内湾，口窄里阔，洋浦湾西临北部湾，东南北三面由玄武岩地环抱，湾口南北有大小珊瑚岛和洋浦鼻形成天然屏障。

自然环境概况：主要地貌类型是河口，土壤类型主要是潮砂土。该地区属热带季风海洋性气候，年平均气温24.7℃，年平均降水量达1745.5毫米，变化范围为1300～1600毫米，年平均蒸发量为1813.7毫米，变化范围为1632.33～1995.07毫米，≥0℃的年平均积温为8854.5℃，≥10℃的年平均积温为8851.5℃。

水环境状况：水源补给状况主要以综合补给为主，且永久积水，水源永久流出。属于正规全日潮港，最高潮位4.06米，最低潮位0.24米，平均潮位1.91米，最大潮差3.60米。水质pH值8.5，为弱碱性；透明度1～2米，透明度等级浑浊。

主要动物种群：本次共设置湿地水鸟调查样带1条，共记录湿地水鸟6种，分别为池鹭、大白鹭、白鹭、红脚鹬、矶鹬和普通翠鸟。其中候鸟2种，留鸟3种，旅鸟1种，种群数量达到62只。共设置4个底栖生物调查样框，共记录大型底栖生物10种，包括棒锥螺、长肋日月贝、褶牡蛎、鹅掌牡蛎、古氏滩栖螺、华丽美丽蛤、黄边糙鸟蛤、灰异篮蛤、凸镜蛤和织锦巴非蛤，其中棒锥螺、长肋日月贝、褶牡蛎为主要的优势物种。

主要植物种群：红树林是该重要湿地的主要植被类型。本次共设置14个4米×4米的灌木样方开展植被状况的调查，共记录红树植物共6种，隶属于6属5科，分别是红海榄、海榄雌、桐花树、秋茄、榄李和木榄。

群系属于红树林湿地植被型组的红海榄群系，群系的平均冠幅在1.88米，林木平均高度为2.66米，平均地径为4.6厘米。

保护管理状况：2000年被列入《中国湿地保护行动计划——中国重要湿地名录》，是我国重要湿地。至今尚未设立自然保护区。

湿地功能与利用方式：湿地生态系统服务功能包括供给服务功能：为当地居民提供湿地天然动物产品鱼、虾、蟹、软体动物等，水域范围为洋浦港的重要航道；调节服务功能：保护区内红树林具有净化水质、防灾减灾、海岸保护等生态功能；支持服务功能：港内的海滩和红树林为各种湿地动物提供重要的栖息地。湿地主要利用方式包括养殖业、航运。

受威胁状况：主要威胁来自港口运输带来的潜在威胁，受威胁状况等级为中度。

土地所有权：国有。

湿地主管部门为海洋浦经济开发区。

4. 三亚珊瑚礁国家级自然保护区

基本情况：该重点调查湿地位于三亚珊瑚礁自然保护区内(湿地区代码4610002)，重点调查湿地湿地总面积647.23公顷，湿地斑块8个，只有近海与海岸湿地(面积647.23公顷)1类；湿地型主要包括珊瑚礁(378.14公顷)和沙石海滩(293.16公顷)。

地理位置：三亚珊瑚礁自然保护区位于三亚市沿海，自东向西由亚龙湾片区、鹿回头半岛—榆林角片区和东、西瑁岛片区3部分组成。

自然环境概况：该湿地主要地貌类型为珊瑚礁海岸，土壤类型为滨海盐土。属热带季风气候，年平均气温24.7℃，年平均降水量达1113.8毫米，变化范围为1000~1400毫米，年平均蒸发量为2273.4毫米，变化范围为2046.06~2500.74毫米，≥10℃和≥0℃的年平均积温均为9208.2℃。该区域水文条件优良、水体交换条件良好，是珊瑚礁发育的理想场所。

水环境状况：水源补给状况主要以综合补给为主，且永久积水，水源永久流出。属于不正规全日潮，平均潮位1.02米，平均潮差0.79米，最大潮差1.89米。多年平均表层海水温度为26.9℃，全年最低海水温度出现在12~2月份，平均为23.2℃，最高表层海水温度出现在5~9月份，平均达到29.5℃，近岸海水盐度为33.5~34.0‰。水质pH值8.3，为弱碱性；透明度4~6米，透明度等级清。总氮为0.68毫克/升，化学需氧量为1.31毫克/升。

主要动物种群：该重点湿地分布有丰富多样的珊瑚，据历史资料，仅在鹿回头半岛—榆林角片区就记录到80种石珊瑚，隶属12科24属，高优势度的珊瑚属为滨珊瑚属、菊花珊瑚属和鹿角珊瑚属(施祺，2007)。

主要植物种群：该重点湿地皆为海域，无明显的湿地植物生长。

保护管理状况：2000年被列入《中国湿地保护行动计划——中国重要湿地名录》，是我国重要湿地。三亚珊瑚礁自然保护区1989年建立，1990年批准为国家级海洋自然保护区。该保护区边界明确，已做功能区划，有固定管理机构、人员与经费。

湿地功能与利用方式：湿地生态系统服务功能包括供给服务功能：为当地居民提供天然动物产品包括鱼、虾、蟹、软体动物、珊瑚礁等等；支持服务功能：珊瑚礁有较高的生物多样性和初级生产力，是各种湿地动物的重要栖息地。湿地主要利用方式包括养殖业、滨海旅游。

受威胁状况：威胁来自珊瑚礁采挖带来的直接影响，污染物的排放、潜水旅游带的潜在威胁，受威胁状况等级为轻度。

土地所有权：国有。

湿地主管部门和管理机构：主管部门为海南省海洋厅，管理部门为三亚珊瑚礁国家级自然保护区管理局。

5. 大洲岛国家级自然保护区

基本情况：该重点调查湿地位于大洲岛海洋生态国家级自然保护区内(湿地区代码4610009)，重点调查湿地湿地总面积133.47公顷，湿地斑块3个，只有近海与海岸湿地(面积133.47公顷)1类；湿地型主要包括浅海水域(46.94公顷)、岩石海岸(86.53公顷)。

地理位置：大洲岛海洋生态国家级自然保护区位于海南省万宁市东南部，东经110°26′50″~

110°32′06″，北纬18°37′06″~18°43′54″。

自然环境概况：该重点调查湿地的主要地貌类型为基岩海岸，主要土壤类型为黄壤、赤红壤。属热带季风气候，年平均气温24.4℃，年平均降水量达2141毫米，变化范围为1800~2200毫米，年平均蒸发量为1849毫米，变化范围为1664.1~2033.9毫米，≥0℃的年平均积温为9023℃，≥10℃的年平均积温为8965.6℃。

水环境状况：水源补给状况主要以综合补给为主，且永久积水，水源永久流出。属于不正规日潮，水质pH值8.54，为弱碱性；透明度4~6米，透明度等级清。

主要动物种群：根据历史资料，该重点湿地具有丰富的动物资源，其中造礁石珊瑚48种，主要优势种有澄黄滨珊瑚、二异角孔珊瑚、精巧扁脑珊瑚、标准蜂巢珊瑚、疣状杯形珊瑚、丛生盔形珊瑚、十字牡丹珊瑚。大型底栖动物63种其中软体动物有22科31种，甲壳动物有8科24种，棘皮动物有3科3种，底栖鱼类有3科5种，优势种有银光梭子蟹、扁足异对虾、须赤虾、刀额新对虾、强缘凤螺、项链螺、凹鳍鲬和多牙缨鲆。浮游动物38种，其中桡足类21种，毛颚类8种，水母3种，浮游幼体和介形类各2种，磷虾和多毛类各1种。优势种类有锥形宽水蚤、精致真刺水蚤、中华哲水蚤。游泳动物79种，以鱼类为主，有43科66种，甲壳动物有3科8种，软体动物有3科5种。优势种为黄鳍马面鲀、条尾鲱鲤、大头狗母鱼、扁足异对虾、须赤虾、条尾鲱鲤、长蛇鲻、中国枪乌贼、长蛸(吴钟解等，2012)。本次实地调查中共设置湿地水鸟、兽类、两栖类和爬行类调查样点各1个，未记录到相关湿地动物。

主要植物种群：该重点湿地植物主要为海草，根据历史资料，记录有4属4种海草，为海神草、泰莱草、二药藻和小喜盐草4种。其中优势物种为泰来藻和海神草，但并无形成明显的海草床，多为斑块状分布，面积仅为1000平方米左右(吴钟解等，2012)。

保护管理状况：2000年被列入《中国湿地保护行动计划——中国重要湿地名录》，是我国重要湿地。1988年，海南省万宁县政府将大洲岛划为县级自然保护区，1990年9月，国务院正式批准建立大洲岛海洋生态国家级自然保护区，由海南省海洋主管部门负责建设管理。大洲岛是海南沿海离岸最大的岛屿，具有典型的海岛海洋生态系统，由于远离大陆人类活动影响相对较小，海洋生态系统完整性较高。该保护区边界明确，已做功能区划，有固定管理机构、人员与经费。

湿地功能与利用方式：湿地生态系统服务功能包括供给服务功能：该湿地资源丰富，为当地居民提供天然动物产品包括鱼、虾、蟹、软体动物等；支持服务功能：大洲岛为海洋资源丰富，且远离人为活动干扰的岛屿，为各种迁飞鸟类的提供了良好的歇息地。湿地主要利用方式为捕捞。

受威胁状况：威胁来自过度捕捞对海洋资源带来的潜在影响，受威胁状况等级为安全。

土地所有权：国有。

湿地主管部门和管理机构：主管部门为海南省海洋与渔业厅，管理机构为大洲岛国家级海洋生态自然保护区管理处。

6. 新村港与黎安港海草特别保护区

基本情况：该重点调查湿地位于新村港与黎安港海草特别保护区内，属于东海岸独立湿地区(湿地区代码4610014)，重点调查湿地湿地总面积2540.04公顷，湿地斑块14个，包括近海与海岸湿地(面积2321.94公顷)与人工湿地(面积218.1公顷)2类；湿地型主要包括浅海水域(1518.46公顷)、沙石海滩(596.31公顷)、潮下水生层(207.17公顷)和水产养殖场(218.1公顷)。

地理位置：新村港与黎安港位于海南岛东南部，面向南海，港区水域宽阔，周围群山环抱，是海南岛不可多得的天然避风良港。2个泻湖的汐汊道不仅是联系新村港与外海的唯一通道，也是港区内陆与海洋之间能量和物质交换的必经途径，对新村港的海上交通、养殖活动、旅游开发、海洋生态环境保护等意义重大。

自然环境概况：该湿地属于沙坝—潮汐汊道—泻湖海岸体系，主要地貌类型是淤泥质海岸，土壤类型主要是潮沙土。该地区属典型的热带季风海洋性气候，年平均气温24.4℃，年平均降水量达2141毫米，变化范围为1600～2200毫米，年平均蒸发量为1849.0毫米，变化范围为1664.1～2033.9毫米。≥10℃和≥0℃的年平均积温均为9086.8℃。

水环境状况：水源补给状况主要以综合补给为主，且永久积水，水源永久流出。潮汐为不规则全日潮，外海平均潮差为0.69米，最大潮差为1.55米。最高高潮潮位1.32米，最低潮潮位-1.65米。水质pH值8.44，为弱碱性；透明度1～2米，透明度等级浑浊。

主要动物种群：根据历史资料，该重点湿地有丰富的动物资源，包括鱼类、大型底栖动物，其中新村港海草伴生的底栖生物共有10种，优势物种有豆满月蛤和厚鳃虫等，甲壳类3种，鱼类16种；黎安港海草伴生的底栖生物共有24种，优势物种有珠带拟蟹守蟹、纵带滩栖螺等，甲壳类4种和鱼类20种(陈宏等，2011)。

主要植物种群：该重点湿地植物主要为海草，根据历史资料，记录有5属6种海草，其中优势物种为海菖蒲、羽叶二药藻和泰来草，形成较大面积且连片的海草床。

本次调查共设置20个植物样方对新村港与黎安港的海草进行调查，共记录海草4种，隶属于3科4属，其中海菖蒲和泰来藻是主要的优势物种。

保护管理状况：2007年海南省政府批准建立陵水新村港与黎安港海草特别保护区，主要保护对象是海草床及其海洋生态环境。是全国首个海草类型特别保护区，也是海南省首个海洋特别保护区，由海南省海洋主管部门负责建设管理。该保护区边界明确，但未进行功能区划，处于无固定管理机构、无人员、无经费状态。

湿地功能与利用方式：湿地生态系统服务功能包括供给服务功能：该湿地资源丰富，为当地居民提供天然动物产品包括鱼、虾、蟹、软体动物等；调节服务功能：该海草床可防止或减轻风力、波浪等对沿岸构成的威胁；支持服务功能：该湿地为许多湿地动物提供了重要的栖息地：海草是儒艮的重要食物，为保护这个珍稀的海洋哺乳动物提供了可能；另外退潮时，海草床露出，许多鸟类会到此觅食，为湿地鸟类提供重要的觅食场。湿地主要利用方式为养殖业与捕捞。

受威胁状况：威胁来自过度捕捞对资源带来的潜在影响，受威胁状况等级为安全。

土地所有权：国有。

湿地主管部门和管理机构：主管部门为海南省海洋与渔业厅。

7. 琼海麒麟菜省级自然保护区

基本情况：该重点调查湿地位于琼海麒麟菜省级自然保护区内，属于东海岸独立湿地区(湿地区代码4610014)，重点调查湿地湿地总面积3602.06公顷，湿地斑块10个，包括近海与海岸湿地(面积3602.06公顷)1类；湿地型主要包括浅海水域(2805.42公顷)、珊瑚礁(636.13公顷)和沙石海滩(160.51公顷)。

地理位置：琼海麒麟菜湿地位于琼海市长坡镇，长坡镇地处琼海市东北部。

自然环境概况：主要地貌类型是淤泥质海岸，土壤类型主要是潮砂土。该地区属典型的热带季风海洋性气候，年平均气温24.9℃，年平均水温为24.78℃。年平均降水量达2179.4毫米，变化范围为2000~2200毫米，年平均蒸发量为1194.6毫米，变化范围为1075.17~1314.09毫米。≥10℃的年平均积温均为8762.9℃，≥0℃的年平均积温均为8772.1℃，海水盐度平均为26.5‰。

水环境状况：水源补给状况主要以综合补给为主，且永久积水，水源永久流出。水质pH值8.1，为弱碱性；水质pH值8.29，为弱碱性；透明度1~2米，透明度等级浑浊。

主要动物种群：根据历史资料，该重点湿地记录有浮游动物2种，底栖动物9种(张钰，2012)。

本次共设置湿地水鸟调查样带2条，共记录有湿地水鸟2种；共设置大型底栖动物调查样框2个，共记录大型底栖动物7种。

主要植物种群：该重点湿地植物主要为麒麟菜。

保护管理状况：20世纪80年代初麒麟菜的开发利用与保护就引起了政府的高度重视，设置了专门的保护区。麒麟菜自然保护区是1983年经广东省人民政府以粤府函198363号文批准建立的。该保护区边界不清，未进行功能区划，处于无固定管理机构、无人员、无经费状态。

湿地功能与利用方式：湿地生态系统服务功能包括供给服务功能：为当地居民提供大量天然动物，此外麒麟菜可为生产膳食纤维提供原料；调节服务功能：麒麟草的生长过程可以大量吸收海水中的二氧化碳、氮和磷等元素，可以优化海区的生态环境。支持服务功能：麒麟菜的作为生产者，为其他湿地动物提供了充分的食物源。湿地主要利用方式为养殖业与采摘麒麟菜。

受威胁状况：威胁来自过度采摘对麒麟菜资源的破坏、养殖业及港口的污染物排放对海区水质造成的影响。受威胁状况等级为轻度。

土地所有权：国有。

湿地主管部门和管理机构：主管部门为海南省海洋与渔业厅。

8. 文昌麒麟菜省级自然保护区

基本情况：该重点调查湿地位于文昌麒麟菜省级自然保护区内，属于东海岸独立湿地区(湿地区代码4610014)，重点调查湿地湿地总面积3274.9公顷，湿地斑块3个，包括近海与海岸湿地(面积3274.9公顷)1类；湿地型主要包括浅海水域(2713.77公顷)、沙石海滩(293.13公顷)和岩石海岸(268.00公顷)。

地理位置：琼海麒麟菜湿地位于文昌市东部镇。

自然环境概况：主要地貌类型是淤泥质海岸，土壤类型主要是水稻土。该地区属典型的热带季风海洋性气候，年平均气温23.9℃左右，年平均水温为25.13℃。年平均降水量达1721.6毫米，变化范围为1600~1800毫米，年平均蒸发量为1194.6毫米，变化范围为1075.17~1314.09毫米。≥10℃的年平均积温均为8474.3℃，≥0℃的年平均积温均为8631.5℃，海水盐度平均为27.2‰。

水环境状况：该海区潮汐类型为不正规半日潮，湾最高潮位2.38米，最低潮位0.01米，最大潮差2.07米。水源补给状况主要以综合补给为主，且永久积水，水源永久流出。水质pH值7.8，为弱碱性；透明度3~4米，透明度等级清。

主要动物种群：根据历史资料，该重点湿地记录多毛类动物1科1种，软体动物2科3种，甲壳动物7科12种，棘皮动物1科3种和藻类植物1科4种(张钰，2012)。

本次调查共设置1条两栖类、爬行类、湿地水鸟和兽类调查样带，共记录湿地水鸟8种，无两栖类、爬行类和兽类的记录。共设置大型底栖动物调查样框2个，无大型底栖动物记录。

主要植物种群：该重点湿地植物主要为麒麟菜。

保护管理状况：文昌麒麟菜省级自然保护区前身是文昌麒麟菜水产资源保护区，文昌麒麟菜水产资源保护区是1983年经广东省人民政府以粤府函〔1983〕63号文批准建立，重点保护对象为麒麟菜。1993年初经海南省人大常委会决定建立麒麟菜自然保护区。该保护区边界不清，未进行功能区划，处于无固定管理机构、无人员、无经费状态。

湿地功能与利用方式：湿地生态系统服务功能包括供给服务功能：为当地居民提供大量天然动物，此外，麒麟菜可为生产膳食纤维提供原料；调节服务功能：麒麟草的生长过程可以大量吸收海水中的二氧化碳、氮和磷等元素，可以优化海区的生态环境。支持服务功能：麒麟菜的作为生产者，为其他湿地动物提供了充分的食物源。湿地主要利用方式为养殖业与采摘麒麟菜。

受威胁状况：威胁来自过度采摘对麒麟菜资源的破坏、养殖业及港口的污染物排放对海区水质造成的影响。受威胁状况等级为轻度。

土地所有权：国有。

湿地主管部门和管理机构：主管部门为海南省海洋与渔业厅。

9. 东方黑脸琵鹭省级自然保护区

基本情况：该重点调查湿地位于东方黑脸琵鹭省级自然保护区内，属于西海岸独立湿地区(湿地区代码4610015)，重点调查湿地湿地总面积1053.89公顷，湿地斑块5个，包括近海与海岸湿地(面积972.75公顷)和人工湿地(面积81.13公顷)2类；湿地型主要包括浅海水域(494.58公顷)、沙石海滩(58.21公顷)、红树林(419.97公顷)和水产养殖场(81.13公顷)。

地理位置：海南东方黑脸琵鹭省级自然保护区位于东方市四更镇境内，地理坐标为东经108°37′24″~108°40′15″，北纬19°11′33″~19°13′20″。

自然环境概况：主要地貌类型是淤泥质海岸，土壤类型主要是潮砂土。该地区属典型的热带季风海洋性气候，年平均气温25.3℃，年平均降水量达911.9毫米，变化范围为800~1000毫米，年平均蒸发量为1857.4毫米，变化范围为1671.70~2043.18毫米。≥10℃和≥0℃的年平均积温均为8981.4℃。

水环境状况：潮汐为正规日潮。水源补给状况主要以综合补给为主，且永久积水，水源永久流出。水质pH值7.93，为弱碱性；透明度1~2米，透明度等级浑浊。

主要动物种群：本次调查共设置5个两栖类、爬行类、湿地水鸟和兽类调查样点，记录有湿地水鸟16种，其中有4种为国家II级保护物种。其中黑脸琵鹭国际组织关注的世界濒危鸟类。

主要植物种群：该重点湿地植物主要红树林，本次调查共设置10个灌木调查样方对红树林进行调查，仅记录1种植物，该片红树林为海榄雌单优群系。

保护管理状况：2006年经海南省人民政府以琼府办〔2006〕30号文批准建立，主要保护对象为黑脸琵鹭。该保护区边界明确，但未进行功能区划，有固定管理机构、人员和经费。

湿地功能与利用方式：湿地生态系统服务功能包括供给服务功能：大面积的海滩为当地居民提供大量的大型底栖生物产品；调节服务功能：红树林对净化海水、防风固岸发挥重要作用。文化服务功能：黑脸琵鹭是国际性的珍稀濒危鸟类，为教育和科研提供了重要的实验基地。支持服务功能：沙石海滩和红树林为鸟类提供了重要的栖息环境，特别对于黑脸琵鹭在内的各种候鸟提供了重要的越冬地和迁飞歇息场所。湿地主要利用方式为养殖业与捕捞。

受威胁状况：威胁来自过度捕捞大型底栖动物对生物资源，特别是包括黑脸琵鹭在内的候鸟；此外养殖业污染物的排放水质造成的影响。受威胁状况等级为安全。

土地所有权：国有。

湿地主管部门和管理机构：主管部门为海南省林业厅，管理机构为海南东方黑脸琵鹭省级自然保护区管理站。

10. 番加省级自然保护区

基本情况：该重点调查湿地位于番加省级自然保护区内，属于松涛水库独立湿地区（湿地区代码4650005），重点调查湿地湿地总面积1326.95公顷，湿地斑块1个，包括人工湿地（面积1326.95公顷）1类；湿地型为库塘（1326.95公顷）1型。

地理位置：番加省级自然保护区位于儋州市东南番加地区。

自然环境概况：主要地貌类型是低山，土壤类型主要是山地赤红壤。该地区属典型的热带季风海洋性气候，年平均气温23.5℃左右，年平均降水量达1900毫米，变化范围为1800～2400毫米，年平均蒸发量为1835毫米，变化范围为1760～1910毫米。≥10℃和≥0℃的年平均积温均为8509.9℃。

水环境状况：各项水质指标皆符合达到国家标准（GB3838—88）Ⅰ类水标准，为海南省重要的水源区。pH值6.8，为中性；透明度3～5米，透明度等级清。

主要动物种群：本次调查共设置1条两栖类、爬行类、湿地水鸟和兽类调查样带，记录兽类1种，爬行类3种，两栖类1种。

该重点湿地主要动物类群为淡水鱼类，本次调查共设置鱼类调查样点1个，记录有鱼类8种。

主要植物种群：该重点湿地并无发育显著湿地植物，其中偶有分布少面积的凤眼莲。

保护管理状况：1981年批准建立，主要保护对象为热带季雨林生态系统。该保护区边界明确，但未进行功能区划，有固定管理机构、人员和经费。

湿地功能与利用方式：湿地生态系统服务功能包括供给服务功能：库塘水体为人们提供了大量的淡水鱼类；调节服务功能：水库为控制洪水，调节水资源发挥巨大功能，是海南省重要的水库，提供了大量的生产灌溉和生活用水；文化服务功能：大面积的水面可以作为人们休闲和进行生态旅游的重要场所。支持服务功能：库塘沿岸的森林和库塘水体的紧密结合，为湿地鸟类提供了重要的栖息场所和觅食场所。湿地主要利用方式为养殖业与捕捞。

受威胁状况：威胁来自过度捕捞对生物资源的威胁；开展生态旅游过程中潜在的污染。受威胁状况等级为轻度。

土地所有权：国有。

湿地主管部门和管理机构：主管部门为海南省林业厅，管理机构为海南番加省级自然保护区管理站。

11. 三亚河红树林市级自然保护区

基本情况：该重点调查湿地位于三亚河红树林市级自然保护区内，属于三亚市零星湿地区(湿地区代码460200)，重点调查湿地湿地总面积418.45公顷，湿地斑块4个，包括近海与海岸湿地(面积133.37公顷)、河流湿地(面积258.12公顷)与人工湿地(面积26.96公顷)3类；湿地型为红树林(133.37公顷)、永久性河流(258.12公顷)和水产养殖场(26.96公顷)3型。红树林散布在三亚河沿岸滩涂上，成带状、岛状，斑块面积未达到起调标准，故在面积统计中未见红树林湿地型。

地理位置：三亚河保护区位于三亚市市区中心，分布于市区的三亚河(西河)和临春河(东河)河中沙洲和河道两岸滩涂湿地区域。

自然环境概况：主要地貌类型是海积平原，土壤类型主要是海积潮砂土、海相沉积燥红土。该地区属典型的热带季风海洋性气候，年平均气温25.5℃左右，年平均降水量达1263毫米，变化范围为1000~1400毫米，年平均蒸发量为2273.4毫米，变化范围为2046.06~2500.74毫米。≥10℃和≥0℃的年平均积温均为9333℃。

水环境状况：潮汐为不规则日潮型，日潮时最高潮位2.2米，最低潮位0.6米，平均潮位1.03米，平均潮差0.79米。水源补给状况主要以综合补给为主，且永久积水，水源永久流出。pH值8.06，为弱碱性；透明度0.5~1米，透明度等级浑浊。

主要动物种群：根据历史资料，该重点湿地记录有鱼类35科55种，大型底栖动物35科68种(杨帆等，2012)。

本次调查共设置2条两栖类、爬行类、湿地水鸟和兽类调查样带，记录有湿地水鸟15种，是主要的动物类群，无两栖类、爬行类和兽类的记录。

主要植物种群：该重点湿地主要湿地植物为红树林，历史记录有红树植物11科16种，伴生植物5科5种。

本次调查共设置28个灌木调查样方对红树林开展调查，共记录红树植物4种。主要群系是海榄雌和正红树群系，优势物种是海榄雌和正红树。

保护管理状况：1992年批准建立，主要保护对象为红树林生态系统。该保护区边界不清，但未进行功能区划，有固定管理机构、人员和经费。

湿地功能与利用方式：湿地生态系统服务功能包括供给服务功能：三亚河为船只提供避风停泊水域；调节服务功能：三亚河沿河红树林为净化水质，防风控灾发挥重要作用；文化服务功能：红树林沿着市区河道，成带状、岛状，点缀在水面，妆点着城区，成为三亚城区沿河风光带的核心景观，是三亚城区独特的湿地风景线，不仅是湿地鸟类的家园，也是市民休闲的好场所，还是外地游客的重要观光区。支持服务功能：林水一体的良好生态环境，极其丰富的腐殖质，为各类底栖生物和鱼虾提供了理想的繁衍栖息场所，更是湿地鸟类极佳的栖息地。湿地主要利用方式为生态旅游。

受威胁状况：保护区范围不清、资源不明，人员活动频繁，保护难度大；工程建设项目占用红树林时有发生；城市生活污水的排放对河流水质造成威胁。受威胁状况等级为中度。

土地所有权：国有。

湿地主管部门和管理机构：主管部门为海南省林业厅，由三亚市林业局代管。

12. 三亚铁炉港红树林市级自然保护区

基本情况：该重点调查湿地位于三亚铁炉港红树林市级自然保护区内，属于东海岸独立湿地区(湿地区代码4610014)，重点调查湿地湿地总面积35.55公顷，湿地斑块2个，皆为包括近海与海岸湿地类下的红树林(面积35.55公顷)。

地理位置：三亚铁炉港红树林自然保护区位于三亚市林旺镇。

自然环境概况：主要地貌类型是港湾，土壤类型主要是海积潮砂土。该地区属典型的热带季风海洋性气候，年平均气温25.5℃，年平均降水量达1255.0毫米，变化范围为1200~1400毫米，年平均蒸发量为2273.4毫米，变化范围为2046.06~2500.74毫米。≥10℃和≥0℃的年平均积温均为9275.3℃。

水环境状况：潮汐为不规则日潮型，日潮时最高潮位2.2米，最低潮位0.6米，平均潮位1.03米，平均潮差0.79米。水源补给状况主要以综合补给为主，且永久积水，水源永久流出。pH值8.46，为弱碱性；透明度0.5~1米，透明度等级浑浊。

主要动物种群：本次调查设置1条两栖类、爬行类、湿地水鸟和兽类调查样带，记录有湿地水鸟3种，是主要的动物类群，无两栖类、爬行类和兽类的记录。

此外还设置了2个大型底栖动物的调查样框，无大型底栖生物记录。

主要植物种群：根据历史资料，该重点湿地记录有真红树植物8科9属13种，半红树植物6科6属6种，红树林伴生植物6科6属6种(姚秩锋等，2010)。

本次调查共设置20个灌木红树林调查样方，共记录红树植物3种，属于海榄雌和正红树群系，优势物种是海榄雌和正红树。

保护管理状况：1999年批准建立，主要保护对象为红树林生态系统。该保护区边界不清，未进行功能区划，有固定管理机构、人员和经费。

湿地功能与利用方式：湿地生态系统服务功能包括供给服务功能：为当地居民提供大量动物产品，该湿地中还分布有珍稀濒危红树物种红榄李，是该物种在中国重要的分布位点，为保存该物种的种质资源发挥重要作用；调节服务功能：红树林分布于石龟村靠海沿岸，为防风发挥重要作用；支持服务功能：为各类底栖生物和鱼虾提供了理想的繁衍栖息场所，更是湿地鸟类极佳的栖息地。湿地主要利用方式为养殖业。

受威胁状况：保护区范围不清、资源不明；养殖业污水排放对水质造成影响。受威胁状况等级为中度。

土地所有权：国有。

湿地主管部门和管理机构：主管部门为海南省林业厅，由三亚市林业局代管。

13. 三亚市青梅港红树林市级自然保护区

基本情况：该重点调查湿地位于亚龙湾青梅港红树林自然保护区(市级)内，属于三亚市零星湿地区(湿地区代码460200)。重点调查湿地面积为81.16公顷，共计2个斑块，属于近海与海岸湿地和河流湿地2类湿地类，包括红树林(53.35公顷)和永久性河流(27.81公顷)2类湿地型。

地理位置：亚龙湾青梅港红树林自然保护区(市级)位于三亚市田独镇亚龙湾国家级旅游度假区内，地理坐标为东经109°36′36″，北纬180°14′43″。

自然环境概况：位于海南岛南部山地丘陵的陵水—榆林沿海平原变质岩山地丘陵区地貌范围内，位于海南岛南部山地丘陵的陵水—榆林沿海平原变质岩山地丘陵区地貌范围内。主要地貌类型是冲积平原，土壤类型主要是潮间泥土、盐土。该地区属典型的热带季风海洋性气候，年平均气温25℃左右，年平均降水量达1315.7毫米，变化范围为1200~1400毫米，年平均蒸发量为2273.4毫米，变化范围为2046.06~2500.74毫米。≥10℃和≥0℃的年平均积温均为9332.9℃。

水环境状况：潮汐为不规则日潮型，日潮时最高潮位0.99米，最低潮位-0.65米，平均潮差0.74米。水源补给状况主要以综合补给为主，且永久积水，水源永久流出。pH值8.25，为弱碱性；透明度0.5~1米，透明度等级浑浊。

主要动物种群：历史上共记录到鸟类11目23科50种。本次调查设置1条两栖类、爬行类、湿地水鸟和兽类调查样带，未记录到两栖类、爬行类、湿地水鸟和兽类物种。

主要植物种群：根据历史资料，该重点湿地记录有共有红树林植物9科11属13种，半红树7科7属7种，伴生植物11科11种(钟才荣等，2011)。

本次调查共设置21个植物样方开展调查，共记录3种植物，属于角果木和榄李群系，优势物种是角果木和榄李。

保护管理状况：1989年经三亚市人民政府批准设立，主要保护对象为红树林生态系统。该保护区边界明确，已做功能区划，有固定管理机构、人员和经费。

湿地功能与利用方式：湿地生态系统服务功能包括供给服务功能：为当地居民提供大量动物产品；调节服务功能：该片红树林为净化旅游区排放的污水，将污染物降解。文化服务功能：亚龙湾是三亚市重要的旅游集中地，已有近30多家酒店开业。每年在此旅游度假，商务观光的游客将在300万~400万人左右，区域旅游收入约30亿元。该红树林湿地是提供良好的休闲和科普教育的场所。支持服务功能：为各类底栖生物和鱼虾提供了理想的繁衍栖息场所，更是湿地鸟类极佳的栖息地。湿地主要利用方式为养殖业。

受威胁状况：保护区范围不清、资源不明；周边酒店林立，污水的排放对水质和生态环境造成破坏；工程项目开发对红树林的直接影响。受威胁状况等级为重度。

土地所有权：国有。

湿地主管部门和管理机构：主管部门为海南省林业厅，由三亚市林业局代管。

14. 彩桥红树林县级自然保护区

基本情况：该重点调查湿地位于临高新盈红树林自然保护区(市级)内，属于西海岸独立湿地区(湿地区代码4610015)。重点调查湿地面积为1263.37公顷，共计2个斑块，包括近海与海岸湿地(面积1263.37公顷)1类，分属浅海水域(面积837.06公顷)和沙石海滩(面积426.31公顷)2型。

地理位置：临高新盈湿地自然保护区位于海南省北部临高县后水湾新盈镇界内，地理坐标为东经109°29′50″~109°36′28″，北纬19°51′48″~19°55′11″。

自然环境概况：新盈后水湾属于华南低洼区的雷琼低洼列与琼中低穹列的边沿转折地带。土壤成土母质主要为沙土，是典型的滩涂冲积层。主要地貌类型是淤泥质海岸，土壤类型主要是潮砂土。该地区属典型的热带季风海洋性气候，年平均气温23.5℃，年平均降水量达1749毫米，变化范围为1400~1800毫米，年平均蒸发量为1813.7毫米，变化范围为1632.33~1995.07毫米。≥10℃和≥0℃的年平均积温均为8778.8℃。

水环境状况：潮汐为全日潮，平均潮差2.5~3米。水源补给状况主要以综合补给为主，且永久积水，水源永久流出。pH值8.25，为弱碱性；透明度0.5~1米，透明度等级浑浊。

主要动物种群：根据历史资料，该湿地共记录到鸟类11目23科50种。

本次调查设置3条两栖类、爬行类、湿地水鸟和兽类调查样带，共记录湿地水鸟8种，无两栖类、爬行类和兽类的调查记录。另外还设置2个大型底栖动物调查样框，共记录6种大型底栖动物。

主要植物种群：根据历史资料，有红树植物19科22属27种，其中真红树植物8科11属15种，半红树植物11科11属12种类(钟才荣等，2011)。

本次调查共设置11个植物样方开展植物调查，共计记录3种红树植物，其中典型植物群落为红海榄群系，优势物种为红海榄。

保护管理状况：1986年经临高县人民政府批准设立为县级自然保护区，主要保护对象为红树林生态系统。该保护区边界不清，未进行功能区划，处于无固定管理机构、无人员、无经费状态。

湿地功能与利用方式：湿地生态系统服务功能包括供给服务功能：为当地居民提供大量动物产品；调节服务功能：该片红树林为彩桥村抵御台风的袭击发挥作用，2005年强台风"达维"袭击海南，彩桥村由于有红树林的保护，房屋、人员和牲畜都安然无恙。支持服务功能：为各类底栖生物和鱼虾提供了理想的繁衍栖息场所，更是湿地鸟类极佳的栖息地。湿地主要利用方式为养殖业和捕捞。

受威胁状况：围垦虾塘严重，对红树林造成较大破坏；养殖户使用消毒等药剂对湿地底栖动物、鱼类和鸟类等造成潜在威胁。受威胁状况等级为安全。

土地所有权：国有。

湿地主管部门和管理机构：主管部门为澄迈县国土环境资源局。

15. 磷枪石岛珊瑚礁市级自然保护区

基本情况：该重点调查湿地位于儋州磷枪石岛珊瑚礁市级自然保护区内，属于西海岸独立湿地区(湿地区代码4610015)。重点调查湿地面积为4100.76公顷，共计6个斑块，皆属于近海与海岸湿地类，分属于3个湿地型浅海水域(面积2542.15公顷)、珊瑚礁(面积391.09公顷)和沙石海滩(面积1167.52公顷)。

地理位置：儋州新英湾红树林市级自然保护区位于海南岛西北部，包括磷枪石岛（又名大铲礁）及其周围海域，其地理范围为东经109°04′50′~109°06′31′，北纬19°40′00′~19°41′29′。

自然环境概况：主要地貌类型是基岩海岸，土壤类型主要是潮砂土。该地区属典型的热带季风海洋性气候，年平均气温24.7℃，年平均降水量达1815毫米，变化范围为1300~1900毫米，年平均蒸发量为1813.7毫米，变化范围为1632.33~1995.07毫米。≥10℃和≥0℃的年平均积温均为8885℃。

水环境状况：属于正规全日潮，最高潮位4.06米，最低潮位0.24米，平均潮位1.91米，最大潮差3.60米。水源补给状况主要以综合补给为主，且永久积水，水源永久流出。水质pH值8.49，为弱碱性；透明度1~2米，透明度等级浑浊。

主要动物种群：本次调查区设置1条两栖类、爬行类、湿地水鸟和兽类调查样带，未记录到两栖类、爬行类、湿地水鸟和兽类动物。另外还设置3个大型底栖动物调查样框和1个鱼类调查位点，共记录有大型底栖动物8种，鱼类11种。

主要植物种群：该区域主要为浅海水域，并无发育有典型的湿地植物。

保护管理状况：于1992年由原儋县人民政府批准建立，主要保护对象为磷枪石岛及周边近海珊瑚礁及其生态环境。该保护区边界明确，未进行功能区划，处于无固定管理机构、无人员、无经费状态。

湿地功能与利用方式：湿地生态系统服务功能包括供给服务功能：为当地居民提供大量动物产品，包括鱼类和珊瑚礁，挖取珊瑚礁作为建筑材料与工艺品加工原材料；文化服务功能：珊瑚礁作为生态旅游的对象，并且可以开展相关科普宣传，提高人们的保护意识；支持服务功能：珊瑚礁是各种鱼类重要的栖息地，该区域珊瑚礁是研究珊瑚礁分布、发育史及生物构成与变迁的重要基地。湿地主要利用方式为捕捞和生态旅游。

受威胁状况：过度挖取珊瑚礁造成该生态系统的衰退。受威胁状况等级为中度。

土地所有权：国有。

湿地主管部门和管理机构：主管部门为儋州市海洋局。

16. 七洲列岛湿地

基本情况：该重点调查湿地位于文昌市七洲列岛，属于七洲列岛独立湿地区（湿地区代码4610008）内，并无建立保护区，但该离岛具有重要的保护价值，故纳入重点调查湿地。湿地总面积为3954.35公顷，湿地斑块2个，皆为近海与海岸湿地类里的浅海水域型湿地。

地理位置：七洲列岛位于海南文昌市东部，由七个岛群组成，分布在东经111°11′~111°17′，北纬19°52′~20°00′，的海域范围内。

自然环境概况：主要地貌类型是砂砾质海岸，土壤类型主要是海积潮砂土。该地区属典型的热带季风海洋性气候，年平均气温23.8℃，年平均降水量达1807.6毫米，变化范围为1600~2000毫米，年平均蒸发量为1872.7毫米，变化范围为1685.43~2059.97毫米。≥10℃的年平均积温均为8718.6℃，≥0℃的年平均积温均为8822℃。

水环境状况：该海区潮汐类型为不正规半日潮，湾最高潮位2.38米，最低潮位0.01米，最大潮差2.07米。水源补给状况主要以综合补给为主，且永久积水，水源永久流出。水质pH值

7.75，为弱碱性；透明度3～4米，透明度等级清。

主要动物种群：本次调查设置1条两栖类、爬行类、湿地水鸟和兽类调查样带，记录有鸥科鸟类4种，其中褐翅燕鸥数量众多，经现场点数，有逾10000只聚居于此，无两栖类、爬行类和兽类的调查记录。

主要植物种群：该区域多为岩石海岸，并未发育有典型湿地植物。

保护管理状况：该区域并未建立相关保护管理措施，因为远离大陆，人类干扰较少。

湿地功能与利用方式：湿地生态系统服务功能包括供给服务功能：丰富的鱼类资源为人们提供大量的动物产品；支持服务功能：该湿地为鸟类，特别是欧科鸟类提供了重要的栖息地。湿地主要利用方式为捕捞。

受威胁状况：主要威胁为过度捕捞带来渔业资源枯竭的潜在威胁，受威胁状况等级为安全。

土地所有权：国有。

湿地主管部门和管理机构：主管部门为海南省国土资源厅。

17. 新盈红树林国家级湿地公园

基本情况：该重点调查湿地位于海南新盈红树林国家森林公园内，属于西海岸独立湿地区(湿地区代码4610015)。湿地总面积为406.67公顷，湿地斑块4个，皆属于近海与海岸湿地类，分属浅海水域(面积67.65公顷)、沙石海滩(面积194.01公顷)和红树林(面积145.01公顷)等3类湿地型。

地理位置：海南新新盈红树林国家森林公园范围包括儋州国营新盈农场东场队、邢屋队、盐灶队、坡坎队。

自然环境概况：土壤成土母质主要为沙土，是典型的滩涂冲积层。主要地貌类型是淤泥质海岸，土壤类型主要是盐渍沙质壤土、沼泽盐渍土。该地区属典型的热带季风海洋性气候，年平均气温24℃左右，年平均降水量达1738.5毫米，变化范围为1400～1800毫米，年平均蒸发量为1813.7毫米，变化范围为1632.33～1995.07毫米。≥10℃和≥0℃的年平均积温均为8794℃。

水环境状况：潮汐为全日潮，平均潮差2.5～3米。水源补给状况主要以综合补给为主，且永久积水，水源永久流出。pH值8.25，为弱碱性；透明度0.5～1米，透明度等级浑浊。

主要动物种群：根据历史资料，该湿地共记录到鸟类11目23科50种。

本次调查设置1条两栖类、爬行类、湿地水鸟和兽类调查样带，共记录17种湿地水鸟，无两栖类、爬行类和兽类的调查记录。

主要植物种群：根据历史资料，有红树植物19科22属27种，其中真红树植物8科11属15种，半红树植物11科11属12种类(钟才荣等，2011)。本次调查共设置了23个植物样方开展调查，共记录5种红树植物，其中典型植物群落为海榄雌群系和红海榄群系，优势物种为海榄雌和红海榄。

保护管理状况：2006国家林业局批准建立海南新盈红树林国家级湿地公园。该边界明确，已做功能区划，有固定管理机构、人员和经费。

湿地功能与利用方式：湿地生态系统服务功能包括供给服务功能：该区域发育有较大面积的红树林，可为人们提供大量的底栖动物产品；调节服务功能：红树林的可净化水质与抵御风浪的侵蚀；文化服务功能：该区域建立为国家森林公园，为人们提供了一个休闲、生态旅游和科普教育的重要基地；支持服务功能：该湿地的红树林与滩涂是鸟类、鱼类和底栖动物的重要栖息地。湿地主要利用方式为生态旅游与捕捞。

受威胁状况：主要威胁是生态旅游开发过程中对环境的改造带来的潜在威胁，受威胁状况等级为轻度。

土地所有权：国有。

湿地主管部门和管理机构：主管部门为海南省农垦总公司。

18. 南丽湖国家级湿地公园

基本情况：该重点调查湿地位于海南南丽湖国家湿地公园内，属于定安县零星湿地区(湿地区代码469021)。湿地总面积为643.67公顷，湿地斑块1个，属于人工湿地中的库塘湿地。

地理位置：海南南丽湖国家湿地公园位于海南省东北部，属定安县辖区。

自然环境概况：所处区域多为砂页岩、玄武岩、火山灰岩、花岗岩等所构成的台地。主要地貌类型是丘陵，土壤类型主要是砖红壤。该地区属典型的热带季风海洋性气候，年平均气温23.7℃左右，年平均降水量达1960毫米，变化范围为1800～2200毫米，年平均蒸发量为1400毫米，变化范围为1260～1540毫米。≥10℃和≥0℃的年平均积温均为8565.5℃。

水环境状况：南丽湖原名南扶水库，湖区平均水深12米，最深达23米。集雨面积64.5平方公里，总库容9150万立方米。水源补给状况主要以综合补给为主，且永久积水，水源永久流出。丰水位为71.9米，平水位为70.8米，枯水位为65米。最大水深23米，平均水深12米，蓄水量9150万立方米。

主要动物种群：根据历史资料，该湿地主要动物类群为湿地水鸟。

主要植物种群：该湿地为库塘，并未发育有典型湿地植物。

保护管理状况：2010国家林业局批准建立南丽湖国家级湿地公园。该边界明确，已做功能区划，有固定管理机构、人员和经费。

湿地功能与利用方式：湿地生态系统服务功能包括供给服务功能：该库塘湿地为下游的农业生产、生活等提供重要的水资源；调节服务功能：南扶水库为琼北最大的水库，在蓄水、维持区域水平衡发挥重要作用；文化服务功能：该区域建立为湿地公园，为人们提供了一个休闲、生态旅游和科普教育的重要基地；支持服务功能：为大量的湿地鸟类提供了栖息场所。湿地主要利用方式为生态旅游。

受威胁状况：主要威胁是生态旅游开发过程中对环境改造带来的潜在威胁，受威胁状况等级为安全。

土地所有权：国有。

湿地主管部门和管理机构：主管部门为海南省林业厅。

19. 海尾县级湿地公园

基本情况：该重点调查湿地位于海尾湿地公园内，属于昌江县零星湿地区(湿地区代码469026)。湿地总面积为17.43公顷，湿地斑块1个，属于人工湿地中的库塘湿地。

地理位置：海南海尾湿地公园位于海南省西部、昌江县境内的海尾镇石港塘湿地范围内。

自然环境概况：主要地貌类型是丘陵，土壤类型主要是滨海砂土。该地区属典型的热带季风海洋性气候，年平均气温24.3℃左右，年平均降水量达1745.9毫米，变化范围为1200～1800毫米，年平均蒸发量为1676毫米，变化范围为1508.4～1843.6毫米。≥10℃和≥0℃的年平均积温均为8985.8℃。

水环境状况：水源补给状况主要以综合补给为主，且永久积水，水源永久流出。pH值为8.1，为弱碱性。

主要动物种群：根据历史资料，该湿地记录有鸟类69种。

本次调查设置1条两栖类、爬行类、湿地水鸟和兽类调查样带，共记录15种湿地水鸟，未记录到两栖类、爬行类和兽类物种。

主要植物种群：该湿地为库塘，有人工种植的莲花。共设置10个植物样方开展植物调查，仅记录1种植物，属于莲花群系。

保护管理状况：于2006年建立昌江海尾湿地公园。该边界明确，未进行功能区划，有固定管理机构，但未有相关人员和经费进行管护工作。

湿地功能与利用方式：湿地生态系统服务功能包括文化服务功能：该区域建立为湿地公园，为人们提供了一个休闲、生态旅游和科普教育的重要基地；支持服务功能：为大量的湿地鸟类提供了栖息场所。湿地主要利用方式为生态旅游。

受威胁状况：主要威胁是生态旅游开发过程中对环境改造带来的潜在威胁，受威胁状况等级为安全。

土地所有权：国有。

湿地主管部门和管理机构：主管部门为海南省林业厅。

20. 东海岸湿地

基本情况：该重点调查湿地位于属于东海岸独立湿地区(湿地区代码4610015)。由于海南岛近海与海岸湿地面积大于10000公顷，故作为重点调查湿地。并划分为两个湿地区，包括东海岸独立湿地区和西海岸独立湿地区，东海岸重点调查湿地包括海南岛东线除东寨港独立湿地区、文昌麒麟菜重点调查湿地、清澜港独立湿地区、琼海麒麟菜重点调查湿地、新村港与黎安港海草重点调查湿地、三亚珊瑚礁重点调查湿地外的所有近海与海岸湿地，重点调查湿地总面积为64719.11公顷，湿地斑块148个，包括近海与海岸湿地(面积63956.56公顷)、河流湿地(面积32.57公顷)、人工湿地(面积729.98公顷)3类湿地类，分属浅海水域(44207.96公顷)、潮下水生层(101.28公顷)、珊瑚礁(2015.67公顷)、岩石海岸(619.03公顷)、沙石海滩(9529.29公顷)、淤泥质海滩(192.25公顷)、红树林(62.98公顷)、河口水域(1548.36公顷)、海岸性咸水湖(5679.74公顷)、永久性河流(32.57公顷)、水产养殖场(577.56公顷)和盐田(173.17公顷)10类湿地型。

地理位置：东海岸湿地分布于海口市、文昌市、琼海市、万宁市、陵水县和三亚市等市县的沿海区域。

自然环境概况：沿线地貌类型多样，囊括潮间带与河口的所有地貌类型，包括基岩海岸、沙砾质海岸、淤泥质海岸、珊瑚礁海岸和河口。主要地貌类型是砂砾质海岸，土壤类型主要是海积潮砂土。该地区属典型的热带季风海洋性气候，年平均气温24.4℃，年平均降水量达1971.5毫米，变化范围为1000～2200毫米，年平均蒸发量为1872.7毫米，变化范围为1685.43～2059.97毫米。≥10℃的年平均积温均为8762.9℃，≥0℃的年平均积温均为9000℃。

水环境状况：从琼州海峡的铺前湾东营向东、环岛到文昌市铜鼓嘴海区为不正规半日潮区；从铜鼓嘴向南环琼海、万宁、陵水、三亚以及海南北部从东营向西至后海岸段及附近海域(包括海口市和秀英港)均为不正规日潮区。水源补给状况主要以综合补给为主，且永久积水，水源永久流出。pH值为8.19，为弱碱性。透明度为1～2米，透明度等级浑浊。

主要动物种群：本次调查共设置11条两栖类、爬行类、湿地水鸟和兽类调查样带，共记录26种湿地水鸟，未记录到两栖类、爬行类和兽类物种。

另外还设置了鱼类调查样点4个，共记录鱼类22种；设置大型底栖动物调查样框23个，共记录大型底栖动物36种。

主要植物种群：该湿地主要植被类型为红树林，共设置64个植物样方开展调查，共记录本次调查共记录14种植物，典型群落包括海榄雌群系、海桑群系、榄李群系、正红树群系和泰来藻群系。优势物种有海桑、海榄雌、榄李、正红树和泰来藻。其中还分布有珍稀濒危物种红榄李。

保护管理状况：该重点调查湿地内无建立其他自然保护区，根据《海南省红树林保护规定》和《海南省珊瑚礁保护规定(修订稿)》中规定，所有红树林和珊瑚礁湿地都为保护区域。

湿地功能与利用方式：湿地生态系统服务功能包括供给服务功能：东海岸广阔的海域分布有许多重要的渔场，提供了大量鱼类、底栖动物等产品；调节服务功能：在东海岸沿岸分布的湿地，为抵御台风、海浪的侵蚀发挥了重要作用；文化服务功能：海南岛东海岸是海南经济及旅游开发最早，设施最完善的地区，是许多人旅游的首选路线。丰富的湿地资源和蜿蜒的海岸线造就了丰富的旅游资源，是海南创造旅游收入的重要区域。在东海岸也分布有许多保护区，为宣传湿地保护和湿地文化提供了重要的基地；支持服务功能：为沿海的居民提供了食物、生产原材料，为大量的湿地动物提供了栖息场所，促进水与各种化学元素的循环。湿地主要利用方式为养殖业、生态旅游。

受威胁状况：主要威胁是生态旅游开发过程中对环境改造带来的潜在威胁；通过围垦发展的养殖业对湿地资源是直接的影响因素。受威胁状况等级为中度。

土地所有权：国有。

湿地主管部门和管理机构：主管部门涉及海南省国土与资源厅、海南省海洋与渔业厅和海南省林业厅等多个部门，管理机构为各级市县政府与相关主管部门。

21. 西海岸湿地

基本情况：该重点调查湿地属于西海岸独立湿地区(湿地区代码4610016)。西海岸重点调查湿地包括海南岛西线除东方黑脸琵鹭重点调查湿地、儋州磷枪石岛珊瑚礁重点调查湿地、洋浦港独立湿地区、新英红树林重点调查湿地、新盈红树林重点调查湿地、临高新盈红树林重点调查湿地外的所有近海与海岸湿地，重点调查湿地总面积为103062.82公顷，湿地斑块96个，包括近海与海岸湿地(面积 102334.2 公顷)、人工湿地(面积 728.62 公顷)2 类湿地类，分属浅海水域(面积 86357.09 公顷)、珊瑚礁(1775.8 公顷)、岩石海岸(面积 3468.24 公顷)、沙石海滩(面积 8315.57 公顷)、淤泥质海滩(面积 436.23 公顷)、红树林(面积 291.44 公顷)、河口水域(面积 1160.89 公顷)、三角洲/沙洲/沙岛(面积 22.82 公顷)、海岸性咸水湖(面积 506.12 公顷)、水产养殖场(面积 642.7 公顷)和盐田(面积 85.92 公顷)11 类湿地型。

地理位置：东海岸湿地分布于乐东县、东方市、昌江县、儋州市、临高县和澄迈县等市县的沿海区域。

自然环境概况：沿线地貌类型多样，囊括潮间带与河口的所有地貌类型，包括基岩海岸、沙砾质海岸、淤泥质海岸、珊瑚礁海岸和河口。主要地貌类型是淤泥质海岸，土壤类型主要是潮砂土。该地区属典型的热带季风海洋性气候，年平均气温 24℃左右，年平均降水量达 1574.2 毫米，变化范围为 1000～1800 毫米，年平均蒸发量为 1676 毫米，变化范围为 1508.4～1843.6 毫米。≥10℃和≥0℃的年平均积温均为 8788℃。

水环境状况：乐东诸县(市)的海岸及附近海域到东方的感恩角均为不正规日潮；从感恩角向北环岛经昌江、儋州、临高至澄迈后海为正规日潮。水源补给状况主要以综合补给为主，且永久积水，水源永久流出。pH 值为 8.26，为弱碱性。透明度为 1～2 米，透明度等级浑浊。

主要动物种群：本次调查共设置 7 条两栖类、爬行类、湿地水鸟和兽类调查样带，共记录 33 种湿地水鸟，未记录到两栖类、爬行类和兽类物种。

另外还设置了鱼类调查样点 4 个，共记录鱼类 24 种；设置大型底栖动物调查样框 10 个，共记录大型底栖动物 18 种。

主要植物种群：该湿地主要植被类型为红树林，共设置 31 个植物样方开展调查，共记录本次调查共记录 5 种植物，属于桐花树群系，优势物种有为桐花树海桑、海榄雌等。

保护管理状况：该重点调查湿地内无建立其他自然保护区，根据《海南省红树林保护规定》和《海南省珊瑚礁保护规定(修订稿)》中规定，所有红树林和珊瑚礁湿地都为保护区域。

湿地功能与利用方式：湿地生态系统服务功能包括供给服务功能：西海岸广阔的海域分布有许多重要的渔场，提供了大量鱼类、底栖动物等产品，此外还有许多优良的港口提供了航运的便利；调节服务功能：在西海岸沿岸分布的湿地，为抵御台风、海浪的侵蚀发挥了重要作用；文化服务功能：海南岛西海岸由于气候独特，降水量较少，气温炎热，发育了许多独特的湿地资源和湿地景观，是研究湿地的起源与分布提供了重要的研究场所。东海岸还分布有许多盐田，包括莺歌海、儋州千年盐田等，通过开展这些湿地景观的生态旅游，提供了一个让人们接触湿地文化、了解湿地服务功能的重要实景场所；支持服务功能：为沿海的居民提供了食物、生产原材料，为大量的湿地动物提供了栖息场所，促进水与各种化学元素的循环。湿地主要利用方式为养殖业、生态旅游。

受威胁状况：主要威胁是生态旅游开发过程中对环境改造带来的潜在威胁；通过围垦发展的养殖业对湿地资源是直接的影响因素。受威胁状况等级为中度。

土地所有权：国有。

湿地主管部门和管理机构：主管部门涉及海南省国土与资源厅、海南省海洋与渔业厅和海南省林业厅等多个部门，管理机构为各级市县政府与相关主管部门。

22. 大田国家级自然保护区

基本情况：该重点调查湿地位于大田国家级自然保护区内，属于东方市零星湿地区(湿地区代码469007)。重点调查湿地总面积为19.79公顷，湿地斑块2个，包括河流湿地(面积11.21公顷)、人工湿地(面积8.58公顷)2类湿地类，分属永久性河流(11.21公顷)、库塘(8.58公顷)2类湿地型。

地理位置：大田国家级自然保护区位于西南部东方市八所镇，地理坐标为东经108°47′~108°49′，北纬19°05′~19°17′。

自然环境概况：主要地貌类型是丘陵，土壤类型主要是砖红壤。该地区属典型的热带季风海洋性气候，年平均气温25.4℃左右，年平均降水量为1019毫米，变化范围为1000~1400毫米，年平均蒸发量为1929.1毫米，变化范围为1776~2119.8毫米。≥10℃和≥0℃的年平均积温均为9150.7℃。

水环境状况：水源补给状况主要以综合补给为主，且永久积水，水源永久流出。pH值为8.08，为弱碱性。透明度为0.1~0.3米，透明度等级很浑浊。

主要动物种群：本次调查共设置2条两栖类、爬行类、湿地水鸟和兽类调查样带，共记录两栖类6种、爬行类4种、湿地水鸟2种和兽类1种。

另外还设置了鱼类调查样点1个，共记录鱼类1种。

主要植物种群：该湿地并无发育有典型的湿地植物。

保护管理状况：1976年5月成立大田坡鹿保护区，1986年升格为国家级自然保护区。主要保护对象为海南坡鹿及其生境。该边界明确，未进行功能区划，有固定管理机构、人员和经费开展管护工作。

湿地功能与利用方式：湿地生态系统服务功能包括供给服务功能：为下游提供丰富的水资源和鱼类动物产品；支持服务功能：为该区域内的动物，特别是其主要保护对象坡鹿提供水资源。湿地主要利用方式为捕捞。

受威胁状况：主要威胁是人为捕捞河流中鱼类带来的潜在威胁。受威胁状况等级为中度。

土地所有权：国有。

湿地主管部门和管理机构：主管部门为海南省林业厅，管理机构大田国家级自然保护区管理局。

23. 尖峰岭国家级自然保护区

基本情况：该重点调查湿地位于尖峰岭国家级自然保护区内，属于尖峰岭独立湿地区(湿地区代码4620010)。重点调查湿地总面积为58.95公顷，湿地斑块2个，包括河流湿地(面积12.00公顷)、人工湿地(面积46.95公顷)2类湿地类，分属永久性河流(面积12.00公顷)、库塘(46.95公顷)2类湿地型。

地理位置：尖峰岭国家级自然保护区位于海南岛西南部，地跨乐东和东方两县市，地理坐标为东经108°44′~109°02′，北纬18°23′~18°52′。

自然环境概况：主要地貌类型是中山，土壤类型主要是赤红壤。该地区属典型的热带季风海洋性气候，年平均气温19.7℃左右，年平均降水量为2683.6毫米，变化范围为1200～2800毫米，年平均蒸发量为1248.8毫米，变化范围为1032.3～1626.9毫米。≥10℃和≥0℃的年平均积温均为9000℃。

水环境状况：水源补给状况主要以综合补给为主，且永久积水，水源永久流出。pH值为7.94，为弱碱性。透明度为2～3米，透明度等级清。

主要动物种群：本次调查共设置1条两栖类、爬行类、湿地水鸟和兽类调查样带，共记录两栖类1种、爬行类3种和兽类1种，未记录到湿地水鸟物种。

另外还设置鱼类调查样点1个，共记录鱼类5种。

主要植物种群：该湿地并无发育有典型的湿地植物。

保护管理状况：在1956年划定为广东省尖峰岭热带雨林禁伐区，1960年成立广东尖峰岭保护区，2002年7月经国务院批准晋升为国家级自然保护区。主要保护对象为热带季雨林生态系统。该边界明确，已做功能区划，有固定管理机构、人员和经费开展管护工作。

湿地功能与利用方式：湿地生态系统服务功能包括供给服务功能：为下游提供丰富的水资源和鱼类动物产品；文化服务功能：尖峰岭天池作为主要的湿地资源景观，为尖峰岭开展生态旅游增添了一道亮丽的风景线；支持服务功能：为该区域内的动物，特别是其主要保护对象坡鹿提供水资源。湿地主要利用方式为捕捞。

受威胁状况：主要威胁是过度捕捞溪流鱼类。受威胁状况等级为轻度。

土地所有权：国有。

湿地主管部门和管理机构：主管部门为海南省林业厅，管理机构尖峰岭国家级自然保护区管理局。

24. 吊罗山国家级自然保护区

基本情况：该重点调查湿地位于吊罗山国家级自然保护区内，属于吊罗山独立湿地区(湿地区代码4620013)。重点调查湿地总面积为59.97公顷，湿地斑块7个，皆属于河流湿地类下的永久性河流湿地型。

地理位置：吊罗山国家级自然保护区位于海南东南部，东经109°43′～110°03′，北纬18°43′～18°58′，地跨陵水、保亭。

自然环境概况：主要地貌类型是中山，土壤类型主要是黄壤、赤红壤。该地区属典型的热带季风海洋性气候，年平均气温24.4℃左右，年平均降水量为2315毫米，变化范围为2200～2400毫米，年平均蒸发量为1265.4毫米，变化范围为910～1800毫米。≥10℃和≥0℃的年平均积温均为8972.9℃。

水环境状况：水源补给状况主要以综合补给为主，且永久积水，水源永久流出。地下水pH值为7.72，为弱碱性，矿化度为444毫克/升。

主要动物种群：吊罗山记录兽类46种，鸟类166种，爬行类72种，两栖类33种，鱼类43种(江海声等，2006)。

本次调查共设置3条两栖类、爬行类、湿地水鸟和兽类调查样带，共记录两栖类2种、爬行类2种和兽类2种，未记录到湿地水鸟物种。

主要植物种群：该湿地并无发育有典型的湿地植物。

保护管理状况：保护区自1984年成立，2008年经国务院批准晋升为国家级自然保护区。主要保护对象为热带雨林生态系统。该边界明确，已做功能区划，有固定管理机构、人员和经费开展管护工作。

湿地功能与利用方式：湿地生态系统服务功能包括供给服务功能：该区河流落差大，水力资源丰富，水能蕴藏量很大，为发展水电提供充沛水能；调节服务功能：该保护区是陵水河主要发源地，也是万泉河的发源地之一，对调节该区及其周围的水量平衡、保障其社会和经济的发展具有重要的意义；支持服务功能：为该区域内的动物提供水资源。湿地主要利用方式为水力发电。

受威胁状况：水力发电对溪流生态系统带来的潜在威胁，受威胁状况等级为轻度。

土地所有权：国有。

湿地主管部门和管理机构：主管部门为海南省林业厅，管理机构吊罗山国家级自然保护区管理局。

25. 五指山国家级自然保护区

基本情况：该重点调查湿地位于五指山国家级自然保护区内，属于五指山独立湿地区（湿地区代码4620003）。重点调查湿地总面积为5.46公顷，湿地斑块1个，皆属于河流湿地类下的永久性河流湿地型。

地理位置：五指山国家级自然保护区位于海南岛中部，以五指山顶峰为中心的广大山区，地理坐标为东经109°32′~109°43′，北纬18°48′~18°59′，地跨五指山、琼中两市县。

自然环境概况：主要地貌类型是中山，土壤类型主要是黄壤、赤红壤。该地区属典型的热带季风海洋性气候，年平均气温22.4℃左右，年平均降水量为2444毫米，变化范围为2200~2500毫米，年平均蒸发量为1750毫米，变化范围为1580~1927毫米。≥10℃和≥0℃的年平均积温均为7989℃。

水环境状况：水源补给状况主要以综合补给为主，且永久积水，水源永久流出。地表水pH值为7.67，为弱碱性，矿化度为0.001克/升，水质级别为Ⅰ级。

主要动物种群：本次调查共设置3条两栖类、爬行类、湿地水鸟和兽类调查样带，共记录两栖类3种、爬行类5种和兽类2种，未记录到湿地水鸟物种。

主要植物种群：该湿地并无发育有典型的湿地植物。

保护管理状况：1985年11月经广东省人民政府批准建立省级保护区，2003年由国务院批准晋升为国家级自然保护区。主要保护对象为热带雨林生态系统。该边界明确，已做功能区划，有固定管理机构、人员和经费开展管护工作。

湿地功能与利用方式：湿地生态系统服务功能包括供给服务功能：为下游的居民保存了丰富淡水资源，保证生活与生产的用水；调节服务功能：该保护区水满河的发源地，对调节该区及其周围的水平衡具有重要的意义；支持服务功能：为该区域内的动物提供水资源。湿地主要利用方式为生态旅游。

受威胁状况：农药施用、散养牲畜排泄物对溪流生态系统带来的潜在威胁，受威胁状况等级为安全。

土地所有权：国有。

湿地主管部门和管理机构：主管部门为海南省林业厅，管理机构五指山国家级自然保护区管理局。

26. 鹦哥岭省级自然保护区

基本情况：该重点调查湿地位于鹦哥岭省级级自然保护区内，属于鹦哥岭独立湿地区(湿地区代码4620004)。重点调查湿地总面积为164.84公顷，湿地斑块11个，包括河流湿地(面积147.2公顷)和人工湿地(面积17.64公顷)2类，分属于永久性河流(面积147.2公顷)和库塘(面积17.64公顷)2类湿地型。

地理位置：鹦哥岭省级自然保护区位于海南省中南部，地理坐标为东经109°11′~109°34′，北纬18°49′~19°08′。

自然环境概况：主要地貌类型是中山，土壤类型主要是黄壤、赤红壤。该地区属典型的热带季风海洋性气候，年平均气温22℃左右，年平均降水量为1834.1毫米，变化范围为1400~2400毫米，年平均蒸发量为1800毫米，变化范围为1600~2000毫米。≥10℃和≥0℃的年平均积温均为7407.2℃。

水环境状况：水源补给状况主要以综合补给为主，且永久积水，水源永久流出。地下水pH值为7.43，为中性，溶解氧为5.47毫克/升。

主要动物种群：本次调查共设置3条两栖类、爬行类、湿地水鸟和兽类调查样带，共记录两栖类3种、爬行类4种和兽类1种，未记录到湿地水鸟物种。

主要植物种群：该湿地并无发育有典型的湿地植物。

保护管理状况：鹦哥岭省级自然保护区于2004年7月经省人民政府批准成立，主要保护对象为热带雨林生态系统。该边界明确，已做功能区划，有固定管理机构、人员和经费开展管护工作。

湿地功能与利用方式：湿地生态系统服务功能包括供给服务功能：区内溪流为周边居民提供了淡水资源，也提供了丰富的鱼类动物产品；调节服务功能：鹦哥岭是海南岛第一大河流南渡江和第二大河流昌化江的主要发源地，对调节该区及其周围的水量平衡、保障其社会和经济的发展具有重要的意义；支持服务功能：鹦哥岭的森林植被，改善江河源头的生态环境质量，有利于增加这两条河流的水量，改善其水质，对松涛水库水源涵养以及两江流域沿岸工农业生产和人民生活具有重要的影响作用。无利用

受威胁状况：过度捕捞溪流鱼类对溪流生态系统带来的潜在威胁，受威胁状况等级为安全。

土地所有权：国有。

湿地主管部门和管理机构：主管部门为海南省林业厅，管理机构鹦哥岭省级自然保护区管理站。

27. 黎母山省级自然保护区

基本情况：该重点调查湿地位于黎母山省级自然保护区内，属于黎母山独立湿地区(湿地区代码4620012)。重点调查湿地总面积为105.06公顷，湿地斑块2个，包括河流湿地(面积61.13

公顷)和人工湿地(面积43.93公顷)2类，分属于永久性河流(面积61.13公顷)和库塘(面积43.93公顷)2类湿地型。

地理位置：黎母山省级自然保护区位于琼中、白沙两县境内，地理坐标为东经109°39′05″～109°48′31″，北纬19°07′22″～19°14′03″。

自然环境概况：主要地貌类型是中山，土壤类型主要是黄壤、赤红壤。该地区属典型的热带季风海洋性气候，年平均气温23.1℃左右，年平均降水量为2343.1毫米，变化范围为2200～2400毫米，年平均蒸发量为1617.8毫米，变化范围为1456.02～1779.58毫米。≥10℃和≥0℃的年平均积温均为7848.7℃。

水环境状况：水源补给状况主要以综合补给为主，且永久积水，水源永久流出。pH值为7.12，为中性，溶解氧为1.42毫克/升。

主要动物种群：本次调查共设置1条两栖类、爬行类、湿地水鸟和兽类调查样带，共记录两栖类1种、兽类1种，未记录到湿地水鸟和爬行类物种。

主要植物种群：该湿地并无发育有典型的湿地植物。

保护管理状况：海南黎母山自然保护区的前身为黎母山林业公司，1961年改称为黎母山林场，1994年经海南省林业局批准设立为海南省黎母山森林公园，于2003年升级为省级自然保护区。主要保护对象为热带季雨林森林生态系统。该边界明确，已做功能区划，有固定管理机构、人员和经费开展管护工作。

湿地功能与利用方式：湿地生态系统服务功能包括供给服务功能：黎母山地表径流丰富，河流落差大，水能蕴藏量巨大，保护区先后建立了2座125千瓦的水电站，电站的建立为当地带来了良好的经济和社会效益，它不仅可为保护区带来收入，还能为当地居民提供了生产生活用电。调节服务功能：槟榔湖是一个小型水库，其四周树木葱葱，小溪潺潺，纵横交错的山间小溪为水库提供了源源不断的水源，森林植被减少了水库的泥沙淤积，有力保证了水库发挥蓄水防洪功能。文化服务功能：海南黎母山自然保护区范围的山体坡度比较陡，形成较为美观的悬崖和瀑布景观，如吊灯岭瀑布、天女散花、银河归川、白龙嬉涧等，保护区最大的瀑布是位吊灯岭瀑布，它犹如一条白纱，悬挂在半天之上，吸引了众多的旅客前来观赏。支持服务功能：黎母山自然保护区雨量十分丰富，丰富的雨水经过森林的过滤净化，沿着山间小溪汇入河流，为当地居民及下游群众提供了优质的生产、生活用水，对黎母山区及周边地区都具有十分重要的影响。湿地主要利用方式为生态旅游、水电。

受威胁状况：人们的生产生活影响的加剧和旅游开发的进一步深入，森林环境的破坏也日益严重，水土流失和水源污染是一个不容忽视的威胁，受威胁状况等级为轻度。

土地所有权：国有。

湿地主管部门和管理机构：主管部门为海南省林业厅，管理机构黎母山省级自然保护区管理站。

28. 甘什岭省级自然保护区

基本情况：该重点调查湿地位于甘什岭省级自然保护区内，属于三亚市零星湿地区(湿地区代码460200)。重点调查湿地总面积为34.18公顷，湿地斑块2个，皆属于人工湿地的库塘湿地型。

地理位置：海南甘什岭省级自然保护区地处海南岛南部，位于三亚市境内。地理坐标为东经109°37′43″~109°41′37″，北纬18°21′19″~18°23′59″。北邻保亭县南林区界，南抵北山岭北坡，东起仲田水库岭顶，西连三浓水库坝和海榆中线。

自然环境概况：主要地貌类型是低山地貌，土壤类型主要是黄壤、赤红壤。该地区属典型的热带季风海洋性气候，年平均气温24.5℃左右，年平均降水量为1600毫米，变化范围为1400~1800毫米，年平均蒸发量为1835毫米，变化范围为1651.5~2018.5毫米。≥10℃和≥0℃的年平均积温均为9254.5℃。

水环境状况：水源补给状况主要以综合补给为主，且永久积水，水源永久流出。pH值为7.02，为中性，溶解氧为5.95毫克/升。

主要动物种群：本次调查共设置2条两栖类、爬行类、湿地水鸟和兽类调查样带，共记录两栖类1种、爬行类4种、兽类1种，未记录到湿地水鸟物种。

主要植物种群：该湿地并无发育有典型的湿地植物。

保护管理状况：1985年甘什岭自然保护区是根据广东省人民政府粤府(1985)330号批文建立的。主要保护对象为无翼坡垒等珍稀植物。该边界明确，已做功能区划，有固定管理机构、人员和经费开展管护工作。

湿地功能与利用方式：湿地生态系统服务功能包括调节服务功能：保护区内的森林对于调节水库的水资源，发挥水库发挥蓄水防洪的功能，保证三亚市的用水。支持服务功能：库塘为当地居民及下游群众提供了优质的生产、生活用水。湿地主要利用方式为体育项目、水电。

受威胁状况：人工植被抚育过程中使用杀虫剂与化肥，对水源质量带来潜在的威胁。受威胁状况等级为轻度。

土地所有权：国有。

湿地主管部门和管理机构：主管部门为海南省林业厅，管理机构甘什岭省级自然保护区管理站。

29. 会山省级自然保护区

基本情况：该重点调查湿地位于会山省级自然保护区内，属于琼海市零星湿地区(湿地区代码469002)。重点调查湿地总面积为429.73公顷，湿地斑块1个，属于人工湿地(面积429.73公顷)的库塘湿地(面积429.73公顷)。

地理位置：海南会山省级自然保护区地处琼海市西南部，北面与会山自然保护区毗邻，南至兴隆镇。

自然环境概况：主要地貌类型是低山地貌，土壤类型主要是黄壤、赤红壤。该地区属典型的热带季风海洋性气候，年平均气温23℃左右，年平均降水量为2000毫米，变化范围为1800~2400毫米，年平均蒸发量为1778.6毫米，变化范围为1600.7~1956.5毫米。≥10℃的年平均积温为7821.7℃，≥0℃的年平均积温为8482℃。

水环境状况：水源补给状况主要以综合补给为主，且永久积水，水源永久流出。pH值为7.2，为中性，透明度为2~3米，透明度等级为清。牛路岭水库正常水位105米，总库容7.78亿立方米。

主要动物种群：本次调查共设置1条两栖类、爬行类、湿地水鸟和兽类调查样带，共记录到湿地水鸟7种，未记录到两栖类、爬行类和兽类物种。

此外设置了2个鱼类调查样点，共记录鱼类3种，大型底栖动物4种。

主要植物种群：该湿地并无发育有典型的湿地植物。

保护管理状况：1981年建立会山省级经营所，停止森林砍伐后一直以保护为主要工作，直至2012年更名为会山省级自然保护区。该边界明确，未进行功能区划，有固定管理机构、人员和经费开展管护工作。

湿地功能与利用方式：湿地生态系统服务功能包括供给服务功能：牛路岭水库内生长有丰富的鱼类动物资源，为当地居民提供大量的鱼类动物产品。调节服务功能：保护区内的森林对于调节水库的水资源，发挥水库发挥蓄水防洪的功能，保证牛路岭水库水资源的平衡。文化服务功能：水坝将万泉河拦腰截断，让上游数十里狭窄河道变成了一个大湖，整个上游区域犹如一幅水绕山转、波拍山尖、碧波万顷的山水画长轴，是人们体验库塘湿地美丽风光的好地点。支持服务功能：牛路岭水库为当地居民及下游群众提供了优质的生产、生活用水。湿地主要利用方式为生态旅游、养殖业。

受威胁状况：森林资源日益破坏，存在水土流失的潜在威胁。受威胁状况等级为安全。

土地所有权：国有。

湿地主管部门和管理机构：主管部门为海南省林业厅，管理机构会山省级自然保护区管理站。

30. 上溪省级自然保护区

基本情况：该重点调查湿地位于上溪省级自然保护区内，属于万宁市零星湿地区(湿地区代码469006)。重点调查湿地总面积为360.3公顷，湿地斑块2个，属于河流湿地(面积23.6公顷)与人工湿地(面积336.7公顷)2类湿地类，分属永久性河流(面积23.6公顷)与库塘湿地(面积336.7公顷)。

地理位置：海南会山省级自然保护区地处万宁市市西北部，西面与海南琼中白马岭林场毗邻，南为牛路岭水库接壤。地理坐标为东经110′00′59″~110°30′01″，北纬19°00′01″~19°30′30″。

自然环境概况：主要地貌类型是低山，土壤类型主要是赤红壤。该地区属典型的热带季风海洋性气候，年平均气温23℃左右，年平均降水量为2100毫米，变化范围为2000~2400毫米，年平均蒸发量为1778.6毫米，变化范围为1600.7~1956.5毫米。≥10℃和≥0℃的年平均积温均为8428.8℃。

水环境状况：海南会山自然保护区属于万泉河水系，水源为综合补给状况，永久性流出。pH值为7.2，为中性，透明度为2~3米，透明度等级为清。牛路岭水库正常水位105米，总库容7.78亿立方米。

主要动物种群：本次调查共设置1条两栖类、爬行类、湿地水鸟和兽类调查样带，共记录湿地水鸟3种，未记录到两栖类、爬行类和兽类物种。

另外共设置鱼类调查样点5个，共记录鱼类10种。

主要植物种群：该湿地并无发育有典型的湿地植物。

保护管理状况：1981 年建立上溪省级经营所，停止森林砍伐后一直以保护为主要工作，直至 2012 年更名为上溪省级自然保护区。该边界明确，未进行功能区划，有固定管理机构、人员和经费开展管护工作。

湿地功能与利用方式：湿地生态系统服务功能包括供给服务功能：牛路岭水库内生长有丰富的鱼类动物资源，为当地居民提供大量的鱼类动物产品。调节服务功能：保护区内的森林对于调节水库的水资源，发挥水库发挥蓄水防洪的功能，保证牛路岭水库水资源的平衡。文化服务功能：水坝将万泉河拦腰截断，让上游数十里狭窄河道变成了一个大湖，整个上游区域犹如一幅水绕山转、波拍山尖、碧波万顷的山水画长轴，是人们体验库塘湿地美丽风光的好地点。支持服务功能：牛路岭水库为当地居民及下游群众提供了优质的生产、生活用水。湿地主要利用方式为生态旅游、养殖业。

受威胁状况：森林资源日益破坏，存在水土流失的潜在威胁。受威胁状况等级为安全。

土地所有权：国有。

湿地主管部门和管理机构：主管部门为海南省林业厅，管理机构上溪省级自然保护区管理站。

31. 尖岭省级自然保护区

基本情况：该重点调查湿地位于尖岭省级自然保护区内，属于万宁市零星湿地区（湿地区代码 469006）。重点调查湿地总面积为 8.28 公顷，湿地斑块 1 个，属于人工湿地的库塘湿地。

地理位置：海南尖岭省级自然保护区位于海南省万宁市西北部北大镇。地理坐标为东经 110°12′12″～110°19′02″；北纬 18°15′11″～19°01′04″。

自然环境概况：主要地貌类型是低山，土壤类型主要是赤红壤。该地区属典型的热带季风海洋性气候，年平均气温 23℃左右，年平均降水量为 2150.4 毫米，变化范围为 2000～2400 毫米，年平均蒸发量为 1778.6 毫米，变化范围为 1600.7～1956.5 毫米。≥10℃的年平均积温为 8527.8℃，≥0℃的年平均积温为 8563.9℃。

水环境状况：海南尖岭自然保护区属于万泉河水系，水源为综合补给状况，永久性流出。pH 值为 7.84，为弱碱性，透明度为 2～3 米，透明度等级为清。

主要动物种群：根据历史资料，该保护区共记录有两栖爬行类 45 种，鸟类 133 种。

主要植物种群：该湿地并无发育有典型的湿地植物。

保护管理状况：1981 年建立尖岭省级经营所，停止森林砍伐后一直以保护为主要工作，直至 2012 年更名为尖岭省级自然保护区。该边界明确，未进行功能区划，有固定管理机构、人员和经费开展管护工作。

湿地功能与利用方式：湿地生态系统服务功能包括调节服务功能：保护区内的森林对于调节水库的水资源，发挥水库发挥蓄水的功能。支持服务功能：金寮水库为当地居民及下游群众提供了优质的生产、生活用水。湿地主要利用方式为生态旅游。

受威胁状况：森林资源日益破坏，存在水土流失的潜在威胁。受威胁状况等级为安全。

土地所有权：国有。

湿地主管部门和管理机构：主管部门为海南省林业厅，管理机构尖岭省级自然保护区管理站。

32. 青皮林省级自然保护区

基本情况：该青皮林省级自然保护区位于万宁，在青皮林省级自然保护区内分布有一片水椰群系的红树林湿地。重点调查湿地总面积为59.51公顷，湿地斑块3个，皆属于近海与海岸湿地类中的红树林湿地型。

地理位置：青皮林省级自然保护区位于海南省万宁市南部沿海礼纪农场附近的海滩外侧。

自然环境概况：主要地貌类型是砂砾质海岸，土壤类型主要是海积潮砂土。该地区属典型的热带季风海洋性气候，年平均气温23℃左右，年平均降水量为2077.4毫米，变化范围为1800～2200毫米，年平均蒸发量为1849.0毫米，变化范围为1664.1～2033.9毫米。≥10℃和≥0℃的年平均积温均为8999℃。

水环境状况：潮汐类型为不正规日潮。水源补给状况主要以综合补给为主，且永久积水，水源永久流出。pH值8.48，为弱碱性；透明度1～2米，透明度等级浑浊。

主要动物种群：本次调查共设置1条两栖类、爬行类、湿地水鸟和兽类调查样带，未记录到两栖类、爬行类、湿地水鸟和兽类物种。共设置鱼类和大型底栖动物调查各1个，未记录到鱼类和大型底栖动物物种。

主要植物种群：本次调查共设置23个植物样方，共记录5种植物，属于海莲群系和水椰群系，优势物种分别是海莲和水椰。

保护管理状况：1980年成立了“海南省万宁县青林自然保护区管理站”。1988年青皮林自然保护区被海南省人民政府宣布为海南省第一批省级重点风景名胜区和自然保护区。该边界明确，已做功能区划，有固定管理机构、人员和经费开展管护工作。

湿地功能与利用方式：湿地生态系统服务功能包括供给服务功能：库塘水体为人们提供了大量的淡水鱼类；调节服务功能：湿地植物为减弱台风发挥了巨大功能；文化服务功能：该区域是万宁旅游酒店与房地产的集中区域，湿地提供重要的景观资源。支持服务功能：位于该重点湿地的水椰群系是海南唯一一处集中成片分布的区域，为研究红树林植物的分布、扩散等问题提供了重要的研究基础。湿地主要利用方式为养殖业与捕捞。

受威胁状况：威胁来自工程项目的开展对红树林植被的直接破坏，酒店污水的排放对红树林生长造成潜在威胁。受威胁状况等级为安全。

土地所有权：国有。

湿地主管部门和管理机构：主管部门为海南省林业厅，管理机构为海南青皮林省级自然保护区管理站。

33. 海南新英红树林市级自然保护区

基本情况：儋州新英湾红树林市级自然保护区属于洋浦港独立湿地区（湿地区代码4610006）。重点调查湿地总面积为78.84公顷，湿地斑块1个，皆属于近海与海岸湿地类中的河口水域湿地型。

地理位置：儋州新英湾红树林市级自然保护区位于海南省儋州市。

自然环境概况：主要地貌类型是熔岩台地，土壤类型主要是红色、黄色砖红壤。该地区属典型的热带季风海洋性气候，年平均气温 24℃左右，年平均降水量为 1738.5 毫米，变化范围为 1400～1800 毫米，年平均蒸发量为 1813.7 毫米，变化范围为 1632.3～1995.1 毫米。≥10℃和≥0℃的年平均积温均为 8794℃。

水环境状况：属于正规全日潮，最高潮位 4.06 米，最低潮位 0.24 米，平均潮位 1.91 米，最大潮差 3.60 米。水源补给状况主要以综合补给为主，且永久积水，水源永久流出。水质 pH 值 8.49，为弱碱性；透明度 1～2 米，透明度等级浑浊。

主要动物种群：本次调查共设置 1 条两栖类、爬行类、湿地水鸟和兽类调查样带，未记录到两栖类、爬行类、湿地水鸟和兽类物种。共设置鱼类和大型底栖动物调查各 1 个，未记录到鱼类和大型底栖动物物种。

主要植物种群：红树林是该重要湿地的主要植被类型。本次调查记录红树植物共 6 种，隶属于 6 属 5 科，森林植物群落主要以红海榄占优势，平均冠幅在 1.88 米，林木平均高度为 2.66 米，平均地径为 4.6 厘米。

保护管理状况：于 1992 年由原儋县人民政府批准建立，主要保护对象为红树林生态系统。该保护区边界不清，未进行功能区划，处于无管理机构、无人员和无经费的状态。

湿地功能与利用方式：湿地生态系统服务功能包括供给服务功能：为当地居民提供大量动物产品；调节服务功能：该片红树林为抵御台风、防御海浪侵蚀海岸发挥重要作用。文化服务功能：该湿地内有千年古盐田和红树林的分布，对于宣传湿地文化、保护湿地提供了重要基础；支持服务功能：为各类底栖生物和鱼虾提供了理想的繁衍栖息场所，更是湿地鸟类极佳的栖息地。湿地主要利用方式为养殖业和捕捞。

受威胁状况：保护区范围不清、资源不明；围垦虾塘严重，对红树林造成较大破坏；周边为洋浦港开发区，大量的开发工程与船只出入对红树林和沿岸湿地造成潜在的威胁。受威胁状况等级为安全。

土地所有权：国有。

湿地主管部门和管理机构：主管部门为儋州市农林局。

34. 名人山鸟类市级自然保护区

基本情况：该重点调查湿地位于名人山鸟类市级自然保护区内，属于文昌市零星湿地区（湿地区代码 469006）。重点调查湿地总面积为 9.40 公顷，湿地斑块 1 个，属于人工湿地的库塘湿地。

地理位置：名人山鸟类自然保护区位于海南省文昌市西部东路镇境内。

自然环境概况：主要地貌类型是丘陵，土壤类型主要是砖红壤。该地区属典型的热带季风海洋性气候，年平均气温 23.9℃左右，年平均降水量为 1721.6 毫米，变化范围为 1600～2000 毫米，年平均蒸发量为 1872.7 毫米，变化范围为 1685.43～2059.97 毫米。≥10℃和≥0℃的年平均积温均为 8706.6℃。

水环境状况：海南尖岭自然保护区属于万泉河水系，水源为综合补给状况，永久性流出。pH 值为 7.52，为弱碱性，透明度为 1～2 米，透明度等级为浑浊。

主要动物种群：本次调查共设置 1 条两栖类、爬行类、湿地水鸟和兽类调查样带，共记录湿地水鸟 7 种，未记录到两栖类、爬行类和兽类物种。

主要植物种群：该湿地并无发育有典型的湿地植物。

保护管理状况：1995 年，由港商邢诒前先生建立中国第一个由私人投资的名人山鸟类自然保护区。文昌市政府于 1997 年文府[1997]第 23 号文正式批准设立文昌市名人山鸟类自然保护区。该保护区边界不清，未进行功能区划，处于无管理机构、无人员和无经费的状态。

湿地功能与利用方式：湿地生态系统服务功能包括文化服务功能：每到鸟类繁殖时节，群鸟翩翩，鸟声人语，呈现人鸟共融的自然景象，使人流连忘返，让人体验与自然亲密接触。支持服务功能：该区域的水体与森林为栖息于此的鸟类提供重要的栖息场所。湿地主要利用方式为生态旅游。

受威胁状况：生产生活所产生的污染物对湿地环境与鸟类的潜在威胁。受威胁状况等级为安全。

土地所有权：国有。

湿地主管部门和管理机构：主管部门为海南省林业厅，管理机构为文昌市林业局。

35. 松涛水库湿地

基本情况：该重点调查湿地属于松涛水库独立湿地区(湿地区代码 4650005)。重点调查湿地总面积为 10298.35 公顷，湿地斑块 3 个，皆属于人工湿地的库塘湿地。

地理位置：松涛水库位于儋州市的东南部。

自然环境概况：主要地貌类型是丘陵，土壤类型主要是砖红壤。该地区属典型的热带季风海洋性气候，年平均气温 23.9℃左右，年平均降水量为 1721.6 毫米，变化范围为 1600 ~ 2000 毫米，年平均蒸发量为 1835 毫米，变化范围为 1760 ~ 1910 毫米。≥10℃和≥0℃的年平均积温均为 7989℃。

水环境状况：水库集雨面积 1496.0 平方公里，平均年径流量 14.99 亿立方米，正常蓄水位 190.0 米，相应库容 25.95 亿立方米，最高洪水位 195.3 米，总库容 33.45 亿立方米，坝顶高程 197.1 米，最大坝高 80.1 米。水源补给状况主要以综合补给为主，且永久积水，水源永久流出。

主要动物种群：本次调查共设置 3 条两栖类、爬行类、湿地水鸟和兽类调查样带，共记录湿地水鸟 7 种，未记录到两栖类、爬行类和兽类物种。

另外还甚至了鱼类调查位点 2 个，共记录鱼类 8 种。

主要植物种群：该湿地并无发育有典型的湿地植物，偶有小面积的凤眼莲分布。

保护管理状况：2007 年 9 月海南省第三届人民代表大会常务委员会第三十三次会议通过并颁布了《海南省松涛水库生态环境保护规定》。未建立自然保护区。

湿地功能与利用方式：湿地生态系统服务功能包括供给服务功能：松涛水库是琼北、琼西北干旱区的重要灌溉水源，也是儋州市城乡和洋浦经济开发区可靠的生活生产用水水源。调节服务功能：由于水库的滞洪作用，减轻中下游地区和海口市河口的防洪压力，基本消除了南渡江下游常年发生的洪水灾害。文化服务功能：松涛水库库区广阔，四周群山环抱，遍布莽莽苍苍的森林，在水库中乘船游览会领略到优美的景色。支持服务功能：渠道跌水电站群满足生产所需电力，在海南的经济发展中发挥难以磨灭的作用，该区域的水体与森林为栖息于此的鸟类提供重要的栖息场所。湿地主要利用方式为生态旅游、水电。

受威胁状况：生产生活所产生的污染物对湿地环境与鸟类的潜在威胁。受威胁状况等级为安全。

土地所有权：国有。

湿地主管部门和管理机构：主管部门为海南省水务局，管理机构为松涛水库水利工程管理局。

参考文献

[1]北海道开发局．泥炭的变迁[M]．北京：北京科学技术出版社，1987.
[2]陈焕镛，张肇骞，陈封怀，等．海南植物志．第1卷[M]．北京：科学出版社，1964.
[3]陈义．海南岛湿地类型，空间分布及保护[D]．广州：华南师范大学，2013.
[4]海南统计局．海南统计年鉴[M]．北京：中国统计出版社，2013.
[5]傅立国．中国植物红皮书：稀有濒危植物(第一册)[M]．北京：科学出版社，1991.
[6]郭文康．中国南海北部滨海湿地类型及分布[D]．广州：华南师范大学，2011.
[7]黄晖，尤丰，练健生，等．海南岛西北部海域珊瑚礁造石珊瑚种类组成与分布[J]. 2012，36(9)：64～74.
[8]黄小平，黄良民，李颖虹，等．华南沿海主要海草床及其生境威胁[J]．科学通报，2006(S3)：114～119.
[9]江海声，等．海南吊罗山生物多样性及其保护[M]．广州：广东科学技术出版社，2006.
[10]郎惠卿，赵魁义，陈克林．中国湿地植被[M]．北京：科学出版社，1999.
[11]李凤娟．东北地区沼泽湿地空间分布格局及其影响因素分析[J]．东北林业大学学报，2010，38(2)：33～34.
[12]李文涛，张秀梅．海草场的生态功能[J]．中国海洋大学学报：自然科学版，2009(5)：933～939.
[13]练健生，黄晖，黄良民，等．三亚珊瑚礁及其生物多样性[M]．北京：海洋出版社，2010.
[14]梁士楚．广西的红树林资源及其可持续利用[J]．海洋通报，1999，18(6)：77～83.
[15]廖宝文．海南东寨港红树林湿地生态系统研究[M]．青岛：中国海洋大学出版社，2009.
[16]林鹏．中国红树林研究进展[J]．厦门大学学报：自然科学版，2001，40(2)：592～603.
[17]刘吉平，杨青，吕宪国．三江平原环型湿地土壤温梯度的研究[J]．湿地科学，2005，3(1)：42～47.
[18]吕宪国．湿地生态系统观测方法[M]．北京：中国环境科学出版社，2005.
[19]齐建文，但维宇，但新球，等．中国湿地文化分区研究[J]．中南林业调查规划，2014，33(2)：60～64.
[20]史海涛，赵尔宓，王力军．海南两栖爬行动物志[M]．北京：科学出版社，2011.
[21]施祺，赵美霞，张乔民，等．海南三亚鹿回头造礁石珊瑚生长变化与人类活动的影响[J]．生态学报，2007，27(8)：3316～3323.
[22]孙典荣，李渊，王雪辉．海南岛近岸海域鱼类物种组成和多样性的季节变动[J]．南方水产科学，2012，8(1)：1～7.
[23]唐杉．我国南海热带珊瑚礁岛屿生物多样性研究[D]．合肥：中国科学技术大学，2009.
[24]王道儒，吴钟解，陈春华，等．海南岛海草资源分布现状及存在威胁[J]．海洋环境科学，2012，31(1)：34～39.
[25]王丕烈，韩家波，马志强，等．海南省儒艮资源现状调查[J]．兽类学报，2007，27(1)：68～73.
[26]汪啸风，马大铨，蒋大海．海南岛地质(三)，构造地质[M]．北京：地质出版社，1991.
[27]吴征镒，陈新启．中国植物志(第一卷)[M]．北京：科学出版社，2004.
[28]吴钟解，李成攀，陈敏，等．大洲岛国家级自然保护区海洋资源调查及其管理保护机制探讨[J]．海洋开发与管理，2012，29(7)：97～100.
[29]刑福武，周劲松，王发国，等．海南植物物种多样性编目[M]．武汉：华中科技大学出版社，2012.
[30]晏学飞，李玉春．海南岛兽类名录整理[J]．海南师范大学学报：自然科学版，2009(2)：191～195.

[31]杨帆，杨传金，孙宁，等. 三亚红树林景观特点及保护利用对策[J]. 中南林业调查规划，2012，31(2)：31～34.

[32]姚森. 南海北部滨海湿地的保护现状与需求[D]. 广州：华南师范大学，2011.

[33]姚轶锋，廖文波，宋晓彦，等. 海南三亚铁炉港红树林资源现状与保护[J]. 海洋通报，2010，29(2)：150～155.

[34]余勉余，梁超愉，李茂照，等. 广东浅海滩涂增养殖业环境及资源[M]. 北京：科学出版社，1999.

[35]曾昭璇，曾宪中. 海南岛自然地理[M]. 北京：科学出版社，1989.

[36]张荣祖. 中国动物地理[M]. 北京：科学出版社，1999.

[37]张钰. 海南岛麒麟菜保护区生态调查[D]. 海口：海南大学，2012.

[38]赵焕庭，宋朝景，孙宗勋，等. 南海诸岛全新世珊瑚礁演化的特征[J]. 第四纪研究，1997，17(4)：301～309.

[39]赵美霞，余克服，张乔民. 珊瑚礁区的生物多样性及其生态功能[J]. 2006，26(1)：186～194.

[40]郑光美. 中国鸟类分类与分布名录(第二版)[M]. 北京：科学出版社，2011.

[41]钟才荣，李诗川，管伟，等. 中国3种濒危红树植物的分布现状[J]. 生态科学，2011，30(4)：431～435.

[42]中国水产科学研究院珠江水产研究所. 海南岛淡水及河口鱼类志[M]. 广州：广东科学出版社，1986.

[43]邹发生，宋晓军，陈伟，等. 海南东寨港红树林滩涂大型底栖动物多样性的初步研究[J]. 生物多样性，1999，7(3)：175～180.

[44]邹发生，宋晓军，陈康，等. 海南清澜港红树林湿地鸟类初步研究[J]. 生物多样性，2000，8(3)：307～311.

[45]邹发生，宋晓军，陈康. 海南东寨港红树林湿地鸟类多样性研究[J]. 生态学杂志，2001，20(3)：21～23.

[46]邹发生等，海南岛湿地[M]. 广州：广东科技出版社，2005.

[47] Hemminga, M. A., Duarte, C. M., 2000. Seagrass Ecology [M]. Cambridge University Press, Cambridge. 2000

[48]Francisco-Ortega J., Wang F. G., Wang Z. S., et al. Endemic seed plant species from Hainan Island：a checklist[J]. The Botanical Review, 2010～76(3)：295～345.

[49]Francisco-Orega J., Wang Z. S., Wang F. G., et al. Seed plant endemism on Hainan Island：a framework for conservation actions[J]. The Botanical Review, 2010b, 76(3)：346～376.

附　件

海南第二次湿地资源调查参加人员

万林芬　王　吉　王　成　王　运　王春新　王　柏　王　振　王　望　王大文　王大雄
王川晶　王业全　王延岛　王兴丰　王兴智　王欢禄　王进伟　王其鹏　王国体　王国炎
王明朝　王金郁　王春展　王春新　王首群　王家安　王家胜　王祥旺　王祥望　王雪乙
王晨辉　王啟清　王越海　王朝晖　王照亮　王殿孝　王德才　王赞琫　韦泽厚　韦德荣
方宝佳　邓日友　邓俊巧　邓俊明　龙丁远　龙仕冠　卢　刚　卢徽石　叶贵春　冯尔辉
邢　杨　邢福卿　吉昌武　吉泽昌　吕忠烈　吕诗阳　吕诗昆　朱振铸　刘石哲　刘永强
刘达官　刘学武　刘鲜荣　江创广　许仁宏　许邦悦　阮勇甫　孙　硕　麦开豪　麦名扬
苏红华　李　君　李　标　李　海　李　智　李　靖　李文利　李世奇　李仕宁　李立敏
李光瑜　李明永　李诗川　李春展　杨　凡　杨　平　杨昌达　吴　新　吴宜焕　吴维旺
岑运雄　岑明多　邱永招　邱炜福　何　铧　何礼明　何名波　何杰坤　谷　钦　沈铭志
张　荣　张　禄　张人孔　张子敏　张佑铭　张明江　张学武　张荣超　张家峰　陆积连
陆积建　陈　大　陈　义　陈　庆　陈　兴　陈　武　陈　河　陈　勇　陈　旁　陈　伟
陈焕强　陈乙锋　陈人瑞　陈大文　陈小飞　陈太孝　陈正文　陈世迈　陈永仕　陈有武
陈伟岸　陈传柏　陈庆飞　陈运添　陈时云　陈私臣　陈宝民　陈定民　陈举良　陈勇珲
陈海培　陈铭复　陈雷华　陈锦富　陈潮明　林　永　林　展　林开光　林方育　林甲文
林立华　林华文　林青峰　林明辅　林明敬　林金文　林贵生　林思亮　林祖业　林雪云
林道山　林道和　林道波　卓大春　卓亚阳　卓亚君　卓祥珠　昌运兴　周岁焕　冼辉翔
郑世光　郑有朋　郑光铭　练万能　封方忠　赵　勇　赵日壁　赵克德　赵明皇　胡　海
胡　能　胡亚雄　胡亚强　胡其色　胡茂忠　钟才荣　信　誉　姜祖扬　洪　峰　洪　潮
徐　扬　翁　平　翁连清　凌　宇　高学理　郭东策　容文清　黄　良　黄　赟　黄文强
黄巧敏　黄龙海　黄齐武　黄宇智　黄志强　黄国若　黄国诺　黄垂鹤　黄泽武　黄宗上
黄诗明　梅振波　崔敏标　符正社　符永冠　符加福　符圣强　符吉明　符志根　符芳宾
符良刚　符国富　符明利　符学平　符洪川　符海装　符焕忠　符斯信　符瑞祺　梁　刚
梁文健　梁宜文　彭应昌　董启荣　蒋启杰　韩远微　韩道之　曾令冠　曾有志　曾传智
曾德展　曾繁壮　谢士成　谢兴飞　谢林顺　蔡　翔　廖忠雄　廖高峰　谭　振　黎乃卷
黎志聪　颜为民　颜为麟

后 记

一、调查背景及意义

为满足海南省湿地保护管理需要，更好地履行《湿地公约》，1997～1998年海南完成了首次湿地资源调查，初步掌握了单块面积100公顷以上湿地的基本情况。15年来，随着经济社会发展，海南省湿地生态状况发生了显著变化，为准确掌握湿地资源及其生态变化情况，制订加强湿地保护管理政策，编制重大生态修复规划，根据国家林业局的组织安排，海南省于2012～2013年完成了第二次全省湿地资源调查。通过本次湿地资源调查，摸清了全省湿地资源（不含三沙市）的分布、类型、数量以及主要生态特征，建立全省湿地资源数据库，比较分析了两次调查湿地的变化情况和原因，分析湿地资源减少的驱动力，为制定湿地资源保护策略和行动、加强湿地自然保护区、湿地公园建设、野生动植物资源保护和合理利用等管理工作提供了科学依据和本底资料。

第二次调查确定起调面积为8公顷（含8公顷）以上的近海与海岸湿地、湖泊湿地、沼泽湿地、人工湿地以及宽度10米以上、长度5公里以上的河流湿地，调查内容包括湿地类型、面积、分布、植被和保护状况等，对国际重要湿地、国家重要湿地、自然保护区和湿地公园内的湿地，以及红树林湿地、其他特有类型湿地和具有特殊保护价值的湿地开展了重点调查，主要包括生物多样性、生态状况、利用和受威胁状况等。

二、工作过程

按照国家林业局的统一部署，海南列为2012～2013年度开展全国第二次湿地资源调查的六个省份之一；2012年1月，海南省湿地资源调查工作全面启动，成立了以海南省林业厅主管副厅长为组长的领导小组、分别设立领导小组办公室、专家技术委员会，各地相应成立市级湿地资源调查工作领导小组等组织机构，并组建了省、市县级调查队伍。在开展野外调查之前，结合海南省的实际情况，编制了《海南省第二次湿地资源调查工作方案》和《海南省第二次湿地资源调查实施细则》，并组织所有参加调查单位和调查人员进行调查技术培训，严格执行《调查工作方案》和《调查实施细则》。海南全省参与本次调查的单位有除三沙市以外的其他18个市县、各级自然保护区和林区林场55个；直接参与的技术人员和调查人员256人。调查采用3S技术（即遥感技术RS、地理信息系统GIS和全球定位系统GPS的简称）与现地核查相结合的方法。海南共区划湿地区36个、重点调查湿地55处、湿地斑块3354块，对所有湿地区、重点湿地区、湿地斑块做现地调查，还调查植物样方523个、动物样带和样方345个，获取调查成果数据逾16万条，采集影视照片逾1.5万张。

2011年12月、2012年3月，分别举办了两期湿地资源调查培训班，全省相关业务骨干逾150人次参加了培训。为保证全省各地湿地资源调查顺利开展，根据各市县基层调查队实际，组织了基层调查队技术培训，共计培训全省各市县基层调查人员200多人次。于2012年3月，将清澜港自然保护区作为湿地调查试点开展试点调查。2012年4月至8月开展野外调查工作，共计有256

人直接参加到本次湿地资源调查野外调查工作中，历时150多天。9月外业调查结束转入内业汇总、调查报告编写工作。于2013年的3月和4月分别通过了国家林业局湿地保护管理中心的验收和评审。

三、方法、标准及规范

1. 方法

在遥感数据全省覆盖的前提下，运用3S技术与现地调查相结合的方法，统一采取了遥感数据室内判读、现地验证和实地调查、调查结果内业汇总的工程流程。

(1)室内判读以环境卫星为主要数据源，对卫星遥感数据进行几何精校正、波段组合、图像增强和图像镶嵌等处理后，通过解译标志的建立进行人机交互判读，判读结果经地理信息系统软件，进行数字化录入至图形数据库中。

(2)现场验证对外业调查前对所有湿地斑块(线状数据和面状数据)叠加1∶50000地形图，形成外业调查用图，对每一调查斑块进行现场验证，并现场填写《一般调查湿地斑块调查表》和《重点调查湿地斑块调查表》。

(3)实地调查主要包括湿地鸟类调查、其他湿地动物调查和湿地植物的调查。

(4)内业汇总主要包括湿地类、湿地型和面积汇总，主要自然环境状况汇总，湿地动物调查汇总和湿地高等植物调查汇总等。

2. 标准及规范

(1)《国家林业局关于印发〈全国湿地资源调查技术规程(试行)〉的通知》(林湿发[2008]265号)。

(2)《国家林业局湿地保护管理中心关于下发第二次全国湿地资源调查工作方案的通知》(林湿发[2009]4号)。

(3)《国家林业局湿地保护管理中心关于开展2011年湿地资源调查的通知》(林湿发[2010]55号)。

(4)《全国湿地资源调查技术规程(试行)》(国家林业局，2010年1月)。

(5)《海南省第二次湿地资源调查工作方案》。

(6)《海南省第二次湿地资源调查实施细则》。

四、调查主要结果

调查主要成果：一是掌握了调查范围内符合公约标准的各类湿地面积、分布和保护状况，建立了遥感影像和基础数据库。二是掌握了国际重要湿地、国家重要湿地、自然保护区、湿地公园和其他重要湿地的生态、野生动植物、保护与利用、社会经济及受威胁状况等。三是掌握了近15年来100公顷以上湿地面积、保护状况和受威胁状况的动态变化情况。四是建立了稳定的湿地资源调查专业队伍和专家团队。五是形成了完善的湿地资源调查监测系列技术规范。

本次调查共实地验证湿地斑块3354块，其中线状湿地斑块1434块，面状湿地斑块1920块。通过野外调查验证后，符合公约标准的湿地斑块共计2465块，其中线状湿地斑块537块，面状湿地斑块1928块，其中修正、新增湿地斑块约40块。

海南岛有湿地5类18型，其中自然湿地有近海与海岸湿地、河流湿地、湖泊湿地、沼泽湿地等4类14型，人工湿地类有库塘、运河/输水河、水产养殖场和盐田等4型湿地。此外，海南岛还记录有河流湿地类中的季节性或间歇性河流、喀斯特溶洞湿地2型湿地；沼泽湿地类中灌丛沼泽、森林沼泽、地热湿地、淡水泉4型，但由于这些湿地型分布零散，且面积未达起调标准，故在本次调查统计数据中并未包含这些湿地型；按照调查规程人工湿地中的水稻田不作为调查对象，仅统计全省水稻田面积。综上所述，海南共记录有湿地5类25型。

海南湿地总面积32.00万公顷(另有水稻田面积17.6万公顷未计入)，湿地率9.04%，高于全国的5.58%。自然湿地面积24.20万公顷，占75.63%；人工湿地面积7.80万公顷，占24.37%。各类型湿地面积分别为：近海与海岸湿地共有346个斑块，面积有20.17万公顷，占总面积的63.02%；河流湿地共有907个斑块，面积3.98万公顷，占总面积的12.42%；湖泊湿地共有26个斑块，面积0.06万公顷，占总面积的0.17%；沼泽湿地共有2个斑块，面积0.004万公顷，占总面积的0.01%；人工湿地(不含水稻田)共有1184个斑块，面积为7.80万公顷，占总面积的24.38%。

《中国湿地资源·海南卷》编写组

2015年10月